L'HOMME NUMÉRIQUE

NICHOLAS NEGROPONTE

L'HOMME NUMÉRIQUE

Traduit de l'américain par Michèle Garène

ROBERT LAFFONT

Titre original : BEING DIGITAL
© Nicholas Negroponte, 1995
Traduction française : Éditions Robert Laffont, S.A., 1995

ISBN 2-221-08062-9
(édition originale :
ISBN 0-679-43919-6 Alfred A. Knopf, Inc., New York)

À Elaine, qui supporte son mari numérique
depuis exactement 11111 ans

Introduction

Le paradoxe d'un livre

En bon dyslexique que je suis, je n'aime pas lire. Petit, je préférais la fréquentation des horaires des chemins de fer à celle des classiques, et j'adorais organiser des correspondances imaginaires parfaites entre deux villes européennes complètement inconnues. Cette passion m'a permis d'acquérir une excellente connaissance de la géographie de l'Europe.

Trente ans plus tard, devenu directeur du Media Lab au MIT, je me suis retrouvé au beau milieu d'un débat national passionné autour du transfert de technologie entre des universités de recherche américaines et des entreprises étrangères. On n'a pas tardé à me convoquer à deux réunions industrie/gouvernement, l'une en Floride et l'autre en Californie.

Aux deux réunions, on nous a servi de l'eau d'Évian en bouteilles de verre d'un litre. Contrairement à la plupart des autres participants, je savais exactement situer Évian sur la carte grâce à mes horaires ferroviaires. Cette ville se trouve à plus de huit cents kilomètres de l'océan Atlantique. Cela voulait dire que ces lourdes bouteilles de verre avaient dû traverser près d'un tiers de l'Europe, franchir l'Atlantique et par-

9

courir quatre mille huit cents kilomètres supplémentaires pour atteindre la Californie.

Nous débattions donc de la protection de notre industrie informatique et de notre compétitivité électronique, alors que nous n'étions apparemment même pas capables d'offrir de l'eau américaine à une conférence américaine.

Aujourd'hui, je considère sous un angle complètement différent cette anecdote de la bouteille d'Évian. Ce n'est plus un problème d'eau minérale française ou américaine, mais l'illustration de la différence fondamentale entre des atomes et des bits. Le commerce mondial est de tout temps une affaire d'échange d'atomes. Dans le cas de l'eau d'Évian, nous transportions lentement, péniblement et à grands frais, sur des milliers de kilomètres et en plusieurs jours, une lourde masse inerte et encombrante. À la douane, vous déclarez vos atomes, pas vos bits. Même de la musique enregistrée numériquement est distribuée sur des CD en plastique, ce qui représente d'énormes coûts de conditionnement, de transport et de stockage.

Cela change rapidement. Au lieu de déplacer lentement et méthodiquement des morceaux de plastique contenant de la musique enregistrée numériquement, et de manier la plus grande partie de l'information sous la forme de livres, de magazines, de journaux et de vidéocassettes, nous allons bientôt transférer instantanément, et sans que cela nous coûte cher, des données électroniques voyageant à la vitesse de la lumière. Sous cette forme, l'information peut devenir universellement accessible. Thomas Jefferson a inventé le concept des bibliothèques et du droit d'emprunter un livre sans débourser un centime. Mais ce grand homme n'a jamais envisagé qu'un jour 20 millions de personnes pourraient avoir électroniquement accès à une bibliothèque numérique et en emprunter gratuitement le contenu.

Le passage des atomes aux bits est irrévocable et irréversible.

Pourquoi cela se produit-il maintenant ? Parce que ce phénomène est également de nature exponentielle — les infimes différences d'hier peuvent soudain avoir de formidables conséquences demain.

Vous connaissez cette énigme enfantine qui consiste à trouver combien on peut gagner à la fin du mois, en sachant qu'on travaille pour un penny par jour en doublant son salaire tous les jours. En commençant le jour du Nouvel An, on pouvait gagner plus de 10 millions de dollars par jour le 31 janvier. C'est le détail que la plupart des gens se rappellent. En revanche, personne ne songe qu'avec ce système nous ne gagnerions qu'environ 1,3 million de dollars si le mois de janvier comptait trois jours de moins (comme le mois de février). En d'autres termes, nos revenus cumulés pour la totalité du mois de février seraient d'environ 2,6 millions de dollars, au lieu des 21 millions gagnés en janvier. Quand un effet est exponentiel, les trois derniers jours ont énormément d'importance ! Nous sommes à la veille de ces trois derniers jours dans la propagation des télécommunications informatiques et numériques.

La place que tiennent les ordinateurs dans notre vie quotidienne croît aussi de manière exponentielle : 35 % des familles américaines et 50 % des adolescents américains ont un micro chez eux ; on estime à 30 millions le nombre d'utilisateurs d'Internet ; 65 % des nouveaux ordinateurs vendus dans le monde en 1994 étaient destinés au foyer, et on pense que 90 % de ceux qui l'on vendra cette année seront équipés de modems ou de lecteurs de CD-ROM. Et je ne parle même pas des cinquante microprocesseurs de la voiture moyenne en 1995, ni des microprocesseurs de votre grille-pain, votre thermostat, votre répondeur, votre lecteur de CD et vos cartes de vœux. Si je me trompe dans ces chiffres, attendez une seconde, la réalité ne va pas tarder à me donner raison.

De plus, ces chiffres augmentent à un rythme étonnant. Le nombre des utilisateurs de Mosaic, un programme qui permet de circuler dans l'information disponible sur le réseau Internet, a augmenté de 11 % par semaine entre février et décembre 1993. La population d'Internet croît à présent de 10 % par mois. Si ce rythme devait se maintenir (ce qui est impossible), le nombre total des utilisateurs d'Internet excéderait la population mondiale en 2003.

Certains s'inquiètent du fossé social entre les privilégiés et les démunis de l'information, ceux qui y ont accès et les autres, le monde occidental et le tiers-monde. Mais le vrai fossé culturel va se creuser entre les générations. Quand un homme me dit avoir découvert le CD-ROM, j'en conclus qu'il doit avoir un enfant de cinq à dix ans. Quand une femme me dit qu'elle a découvert *America Online,* j'en déduis qu'elle est probablement la mère d'un adolescent. Le premier est un livre électronique, l'autre un médium de contact.

Cela fait autant partie de l'environnement des enfants que l'air (jusqu'à ce qu'il se raréfie) pour nous.

L'informatique n'est plus une histoire d'ordinateurs. C'est un mode de vie. L'ordinateur central géant, le gros ordinateur, a été remplacé presque partout par des micros. Ces machines ont quitté les énormes pièces à air conditionné qui les abritaient pour s'installer dans des placards, puis sur des bureaux, ensuite sur nos genoux, avant de se ranger au fond de nos poches. Et ce n'est pas fini.

Au début du prochain millénaire, il n'est pas impossible que vos boucles d'oreilles ou vos boutons de manchettes communiquent entre eux par le biais de satellites en orbite basse et qu'ils soient plus puissants que votre micro actuel. Votre téléphone ne sonnera plus sans réfléchir ; il recevra, triera, voire répondra à vos appels comme un valet de chambre anglais bien stylé. Les médias vont être redéfinis par des systèmes émettant et recevant de l'information et des spectacles personnalisés. Lcs écoles ressembleront bientôt à des musées et à des terrains de jeux où les enfants iront glaner des idées et apprendre à vivre avec leurs congénères. La planète numérique va être grosse comme une tête d'épingle.

Avec ces interconnexions, nombre des valeurs d'une nation vont céder la place à celles de communautés électroniques à la fois plus vastes et plus petites. Nous rencontrerons notre prochain dans des quartiers numériques où l'espace physique n'interviendra pas et où le temps jouera un rôle tout différent. Dans vingt ans, ce que vous verrez par la fenêtre se trouvera peut-être à cinq mille kilomètres et à six fuseaux horaires de chez vous. Une heure de télévision vous aura peut-être été livrée en moins d'une seconde. Lorsque vous vous documenterez sur la Patagonie, vous aurez peut-être même la sensation physique d'y être. Au lieu de lire un livre de William Buckley, vous pourrez converser avec lui.

Mais alors, me direz-vous, pourquoi ce livre traditionnel et même pas illustré, Negroponte ? Pourquoi les éditions Robert Laffont diffusent-elles ce livre sous la forme d'atomes et non de bits, alors que ces pages, contrairement à l'eau d'Évian, peuvent être si aisément rendues sous une forme numérique, leur forme d'origine ? Il y a trois raisons à cela.

La première est que les responsables d'entreprise, les politiciens, les parents et tous ceux qui ont le plus besoin de comprendre cette culture radicalement nouvelle ne disposent pas de suffisamment de supports numériques. Même là où les ordinateurs sont omniprésents, l'interface actuelle est primitive — malcommode au mieux et pas vraiment une chose avec laquelle on a envie de se glisser sous sa couette.

Ma rubrique mensuelle dans le magazine *Wired* est la deuxième raison. L'étonnante rapidité du succès de *Wired* a prouvé qu'il existait un vaste public pour tout ce qui concerne les modes de vie et les acteurs du numérique, pas seulement pour la théorie et l'équipement. Ma rubrique (rien que du texte) a suscité de telles réactions que j'ai décidé d'adapter la plupart des premiers thèmes que j'y ai abordés, les choses ayant évolué depuis la rédaction, pourtant récente, de ces articles. Ces derniers sont le fruit des années que j'ai consacrées à inventer de nouveaux systèmes pour l'infographie, pour les communications humaines et les multimédias interactifs.

La troisième raison, plus personnelle, est d'ordre philosophique. Les multimédias interactifs laissent très peu de place à l'imagination. Comme un film produit par Hollywood, le discours multimédia comprend des représentations tellement particulières que le cerveau a de moins en moins d'efforts à fournir. En revanche, le mot imprimé suscite des images et évoque des métaphores dont le sens dépend en grande partie de l'imagination et de l'expérience du lecteur. Quand vous lisez un livre, sa couleur, sa sonorité et son mouvement viennent en grande partie de vous. Selon moi, ce même type de participation de l'individu est indispensable pour mesurer et comprendre les répercussions possibles du numérique sur votre vie.

Lecteur, c'est votre propre histoire que vous allez lire dans ce livre. Et c'est quelqu'un qui n'aime pas lire qui vous le dit.

Glossaire

Atome : élément constitutif de la matière, indivisible et homogène.

Autoroute de l'information : projet de liaison, par câble ou par satellite, d'un grand nombre d'ordinateurs, aussi bien dans les entreprises que chez des particuliers, de façon à permettre une diffusion et un échange rapides et personnalisés d'images et d'informations de toute nature.

ASCII *(American Standard Code for Information Interchange) :* standard de codage des informations textes utilisées sur PC.

BBS *(Bulletin Board Services) :* serveurs accessibles par les lignes téléphoniques permettant l'échange d'informations et de fichiers.

Bit *(Binary Digit) :* chiffre en base 2 (0 ou 1) qui compose l'information élémentaire d'un système numérique. La vitesse d'un modem s'exprime en bits par seconde (bps).

CD-ROM *(Compact Disc-Read Only Memory) :* disque semblable au CD audio, mais qui comporte des données sous forme de textes, d'images et de sons. Le CD-ROM ne peut être lu que sur un ordinateur équipé d'un lecteur adapté. À l'heure actuelle, on peut stocker sur un CD-

ROM l'équivalent d'un livre de 250 000 pages, ou de 5 000 images.

CDI *(Compact Disc Interactif)* : un standard de CD consultable sur un téléviseur au moyen d'un lecteur connecté au poste.

Hypertexte : technique qui reproduit partiellement le fonctionnement du cerveau humain en établissant des liaisons entre plusieurs informations. Ainsi un texte, par un mot, un groupe de mots, une classification, peut renvoyer à un autre texte.

Infographie : procédé de création d'images assistées par ordinateur.

Interface : tout ce qui permet la communication entre l'utilisateur et son ordinateur : les images (interface graphique) ou les textes (interface texte) affichés à l'écran, par exemple. Également ce qui permet la communication entre deux appareils, par exemple entre un magnétoscope et un lecteur de vidéodisque, ou entre un ordinateur et un modem.

Internet : réseau qui relie, dans 125 pays, plusieurs millions d'utilisateurs qui s'y échangent des nouvelles internationales, des informations diverses, ou bien consultent des banques de données en tout genre.

Modem (MOdulateur-DEmodulateur) : appareil qui transforme les signaux analogiques (lignes téléphoniques) en signaux numériques compréhensibles par les ordinateurs, et réciproquement. Il permet ainsi le transport d'informations entre deux ordinateurs par le biais des lignes téléphoniques.

Multimédia : ordinateurs, logiciels, disques compact, serveurs consultables à distance capables de traiter ou de contenir des données de différentes natures : texte, image, son. Un élément clé du multimédia : l'interactivité entre l'utilisateur et l'applicateur.

MUD : forums de discussions en direct sur Internet.

Numérique : information sous forme de bits exploitable par ordinateur. Textes, photos, vidéos, sons peuvent être numérisés.

Pixel (*picture element,* élément d'une image) : points affichés sur l'écran d'un ordinateur ou d'un téléviseur.

Réalité virtuelle : technologie qui plonge l'utilisateur dans un environnement virtuel en trois dimensions. Dans cet environnement, l'utilisateur peut interagir au moyen d'outils spéciaux : gants, casque de visualisation...

Réseau : système permettant à des ordinateurs connectés entre eux de se communiquer des données, soit localement (par câbles spéciaux), soit en longue distance (par réseau téléphonique).

Serveur : ordinateur servant de distributeur d'informations. Il est consulté à distance par d'autres ordinateurs ou par des terminaux (Minitel, par exemple).

Transpac : réseau de transmission numérique de données appartenant à France Télécom.

World Wide Web (WWW) : sous-ensemble du réseau Internet, le WWW regroupe au niveau mondial des serveurs multimédias reliés entre eux par des liens hypertextes.

L'INTERNET

L'utilisateur

Avec la ligne de son téléphone qui le reliera à un service de connexion, un particulier peut accéder à l'Internet, à condition de disposer d'un équipement minimal :

– un micro-ordinateur équipé d'un modem ;

– des programmes assurant la connexion (fournissant notamment le protocole TCP/IP d'échange de données sur l'Internet) ;

– différents programmes de consultation, les uns pour le courrier électronique et les groupes de discussion, les autres pour la navigation dans les serveurs d'informations.

Micro-ordinateur

Ligne téléphonique

Modem

Le prestataire

Le service de connexion relie un particulier à l'Internet. Il dispose d'un réseau local reliant différents serveurs utilisés pour valider l'accès des utilisateurs et stocker temporairement le courrier électronique et les débats des groupes de discussion entre le moment où les données arrivent du réseau et celui où l'utilisateur se connecte. Une ligne spécialisée, louée à France Télécom, relie le réseau local au reste de l'Internet.

Modems

Routeur

Serveur

Messagerie, courrier électronique

Débats, groupes de discussion

Banques de données : documents, images, sons, photos

L'Internet

Le courrier électronique et les groupes de discussion ont fait la popularité de l'Internet, mais la partie la plus en vogue aujourd'hui est le *World Wide Web*, un réseau de serveurs multimédias, contenant surtout textes et images, reliés entre eux par des liens hypertextes : on a l'impression de consulter un document unique alors qu'on visite des serveurs disséminés dans le monde entier.

Première partie

LES BITS SONT DES BITS

1.

L'ADN de l'information

Des bits et des atomes

Réfléchir à la différence qui existe entre des bits et des atomes est encore le meilleur moyen d'apprécier les mérites et les conséquences de la numérisation. Si nous vivons sans conteste possible à l'ère de l'information, la plus grande partie de celle-ci nous arrive sous la forme d'atomes : journaux, magazines et livres (comme celui-ci). Peut-être nous dirigeons-nous vers une économie de l'information, mais nous continuons à évaluer nos échanges commerciaux et à établir nos bilans en pensant en termes d'atomes. Le GATT est une histoire d'atomes.

Dernièrement, je me suis rendu au siège de l'un des cinq premiers fabricants américains de circuits intégrés. À mon arrivée, on m'a prié de signer le registre et de dire si j'avais un ordinateur portable sur moi. C'était le cas, bien entendu. La réceptionniste m'a alors demandé le modèle de l'appareil, son numéro de série et sa valeur. « Entre 1 et 2 millions de dollars, en gros, ai-je répondu. — Vous devez vous tromper, monsieur. Pourrais-je le voir ? » Elle a estimé mon vieux PowerBook à 2 000 dollars, noté cette somme et m'a autorisé à entrer. Les atomes ne valaient certes pas autant, mais les bits, eux, étaient pratiquement sans prix.

J'ai récemment participé à un séminaire de cadres supérieurs de chez PolyGram à Vancouver. Il s'agissait d'améliorer la communication entre les dirigeants et de donner à tout le monde un aperçu de la production de l'année à venir, à l'aide d'un échantillonnage de musique, de films, de jeux et de clips vidéo sur le point de sortir sur le marché. Ces spécimens devaient être acheminés à la réunion par *Federal Express*, l'équivalent du Chronopost français, sous la forme de CD audio, de vidéocassettes et de CD-ROM : un matériel physique transporté dans de vrais paquets bien tangibles ayant un poids et un format. Par malheur, une partie du matériel avait été retenue à la douane. Ce même jour, dans ma chambre d'hôtel, j'étais entré en liaison avec le MIT et le reste du monde en faisant voyager des bits sur le réseau Internet. Contrairement aux atomes de PolyGram, mes bits n'avaient pas été retenus à la douane.

Les autoroutes de l'information ne sont rien d'autre que le déplacement à l'échelle mondiale de bits sans poids à la vitesse de la lumière. Chaque fois qu'un nouveau secteur industriel s'interroge sur son avenir dans un monde numérique, cet avenir dépend à presque 100 % de la possibilité de convertir en numérique ses produits ou ses services. Si vous fabriquez des pulls en cachemire ou des plats chinois, il vous faudra attendre très longtemps avant de pouvoir les convertir en bits. La « télétransportation » de *Star Trek* est certes un rêve merveilleux, mais il risque de ne pas devenir réalité avant plusieurs siècles. En attendant, il va falloir compter sur la Poste, la bicyclette et vos baskets pour transporter vos atomes d'un endroit à un autre. Je ne prétends pas que les technologies numériques ne seront d'aucune utilité dans la conception, la fabrication, la commercialisation et la gestion d'activités reposant sur des atomes, je veux seulement dire que votre activité de base ne va pas changer et que les atomes de votre produit ne vont pas se transformer en bits.

Dans les industries de l'information et du spectacle, on confond souvent bits et atomes. L'éditeur d'un livre fait-il de la livraison d'informations (des bits) ou de la fabrication (des atomes) ? Il fait les deux, mais cette situation va rapidement évoluer parce que les médias de l'information sont de plus en plus répandus et conviviaux. À l'heure actuelle, il est difficile, mais pas impossible, de faire concurrence à un livre imprimé. Un livre présente plusieurs qualités : il a un affichage très contrasté, il est plutôt léger, facile à feuilleter et relativement bon marché. Mais vous le faire parvenir requiert transport et stockage. Dans certains cas, le stockage, le transport et les retours représentent 45 % du prix. Pire encore, un livre n'est pas à l'abri d'une rupture d'impression. Pareille mésaventure ne risque pas d'arriver aux livres numériques ; ils sont toujours disponibles.

À terme, d'autres médias ont de fortes chances de venir à la numérisation. Les premiers atomes du spectacle appelés à être déplacés et à se transformer en bits seront ceux des vidéocassettes en location, secteur dans lequel les consommateurs souffrent de l'inconvénient supplémentaire d'avoir à rapporter les atomes empruntés et à payer une amende s'ils les oublient sous un canapé (aux États-Unis, 3 des 12 milliards de la location vidéo seraient le résultat d'amendes pour retard). D'autres médias finiront par venir au numérique sous les effets conjugués de la commodité, des impératifs économiques et de la déréglementation. Et c'est pour demain.

Mais, au fond, qu'est-ce qu'un bit ?

Un bit n'a ni couleur, ni taille, ni poids, et il peut voyager à la vitesse de la lumière. C'est le plus petit élément, l'atome de l'ADN de l'information. C'est un état : branché ou débranché, vrai ou faux, haut ou bas, dedans ou dehors, noir ou blanc. Pour des raisons pratiques, nous considérons qu'un bit est un 1 ou un 0. La signification du 1 ou du 0 est une autre histoire. Aux débuts de l'informatique, une chaîne de bits était la représentation la plus courante de l'information chiffrée.

Essayez de compter en omettant tous les nombres comportant autre chose qu'un 1 ou un 0. Voici ce que vous obtiendrez : 1, 10, 11, 100, 101, 110, 111, etc. Ce sont là les représentations binaires respectives des chiffres 1, 2, 3, 4, 5, 6, 7, etc.

Les bits ont toujours été l'élément de base du calcul numérique, mais, ces vingt-cinq dernières années, nous avons élargi notre « vocabulaire binaire » de façon à y inclure bien d'autres choses que des chiffres ; nous avons pu numériser de plus en plus de types d'informations, comme l'audio et la vidéo, en les réduisant à une chaîne semblable de 1 et de 0.

Numériser un signal consiste à en prélever des échantillons qui, s'ils sont extraits à intervalles très rapprochés, peuvent fournir une reproduction apparemment parfaite. Dans un CD audio, par exemple, le son a été échantillonné 44 100 fois par seconde. L'onde sonore (niveau de pression du son mesuré en volts) est enregistrée sous la forme de nombres précis (eux-mêmes transformés en bits). Lues 44 100 fois par seconde, ces chaînes de bits restituent la musique originale en son continu. Les mesures successives et précises sont tellement rapprochées dans le temps qu'on ne les perçoit pas comme une succession de sons séparés, mais comme une continuité sonore.

On peut également traiter une photo noir et blanc de cette manière. Imaginez qu'un appareil photo électronique applique une grille fine sur une image et enregistre ensuite le niveau de gris qu'il voit dans chaque cellule. Si l'on donne au noir la valeur de 0 et au blanc celle de 255, toutes les nuances de gris se situeront quelque part entre les deux. Par la plus heureuse des coïncidences, une chaîne de 8 bits, un octet, permet 256 combinaisons de 1 et de 0, de 00000000 à 11111111. Avec une grille et des gradations aussi précises, on peut reconstruire parfaitement l'image pour l'œil humain. Avec une grille moins fine ou un nombre insuffisant de niveaux de gris, on commence à voir apparaître des effets dus à la numérisation, comme des contours et des pavés.

Cette continuité produite à partir de pixels rappelle

27

un phénomène semblable, sur une échelle beaucoup plus réduite, dans le monde familier de la matière. La matière se compose d'atomes. Si l'on pouvait regarder une surface de métal polie au niveau subatomique, on verrait surtout des trous. Elle paraît lisse et solide du fait de la très petite taille de ses particules élémentaires. C'est pareil pour la restitution numérique.

Mais notre monde est très analogique. D'un point de vue macroscopique, il n'est pas du tout numérique mais continu. Rien n'y apparaît ou n'en disparaît brusquement, ne vire du noir au blanc, ne passe d'un état à un autre, sans transition. Cela n'est pas vrai au niveau microscopique, où les choses avec lesquelles nous sommes en interaction (des électrons dans un fil conducteur ou des photons sur notre rétine) sont discrètes. Mais elles sont tellement nombreuses que nous les percevons approximativement comme continues. Après tout, le livre (un médium très analogique) que vous avez entre les mains doit compter, au bas mot, quelque 1 000 000 000 000 000 000 000 000 atomes.

La numérisation présente de nombreux avantages. Les plus évidents sont la compression des données et la correction d'erreurs, ce qui est important quand on délivre de l'information par le biais d'un canal coûteux ou bruyant. Cela permet aux diffuseurs, par exemple, d'économiser de l'argent, et aux clients de recevoir une image et un son de qualité studio. Mais nous sommes en train de découvrir que l'entrée dans l'ère numérique a des conséquences encore bien plus importantes.

Quand on se sert de bits pour décrire du son et de l'image, mieux vaut en utiliser le moins possible —

cela ressemble à la conservation d'énergie. Toutefois, le nombre de bits que l'on affecte par seconde ou par centimètre carré a un rapport direct avec la fidélité du son ou de l'image. On a donc intérêt à numériser à très haute définition, puis à utiliser une version à résolution plus faible du son ou de l'image selon l'application. Par exemple, on pourra numériser à très haute définition une image couleur pour la sortie papier, mais utiliser une résolution plus faible pour un travail de mise en page sur écran. L'économie de bits est en partie imposée par les contraintes du média sur lequel ils sont stockés ou à travers lequel ils sont véhiculés.

Le nombre de bits que l'on peut transmettre par seconde via un canal (un fil de cuivre, une fréquence radio ou une fibre optique) est la largeur de bande de ce canal. Il s'agit de la mesure du nombre de bits qui peuvent passer dans un canal donné. Ce nombre ou cette capacité doit s'ajuster au nombre de bits nécessaires pour reproduire un type précis de données (voix, musique, vidéo) : 64 000 bits par seconde est plus que confortable pour une voix de haute qualité; 1,2 million de bits par seconde est plus que suffisant pour de la musique haute fidélité et 45 millions de bits par seconde convient à merveille pour reproduire la vidéo.

Toutefois, dans les quinze dernières années, nous avons appris à compresser la forme numérique brute du son et de l'image en considérant les bits dans le contexte du temps, de l'espace, ou des deux, et en supprimant les redondances et les répétitions. En fait, tous les médias sont devenus aussi rapidement numériques parce que nous avons obtenu de très hauts niveaux de compression bien plus tôt que ne le prédisaient la plupart des gens — en 1993, certains Européens prétendaient encore que la vidéo numérique ne deviendrait une réalité qu'au prochain millénaire.

Il y a cinq ans, la plupart des gens doutaient qu'il soit possible de réduire à 1,2 million les 45 millions de bits par seconde de la vidéo numérique brute. Pourtant, en 1995, on peut compresser et décompresser, encoder et décoder la vidéo à ce taux, à moindres frais, et en obtenant une qualité élevée. C'est comme si nous étions soudain capables de fabriquer un cappuccino lyophilisé tellement bon qu'en ajoutant de l'eau il nous paraîtrait aussi riche et parfumé que si on le dégustait à la terrasse d'un café italien.

Quand tous les médias seront des bits

La numérisation permet de livrer un signal comprenant des informations destinées à corriger les erreurs comme les parasites téléphoniques, les interférences radio ou la « neige » sur un écran de télévision. On peut éliminer ces phénomènes du signal numérique à l'aide de quelques bits supplémentaires permettant des corrections d'erreurs de plus en plus sophistiquées pouvant s'appliquer à toute forme de bruit, sur n'importe quel médium. Sur votre CD audio, un tiers des bits servent à corriger les erreurs. On peut appliquer des techniques semblables à la télévision dans son état actuel, afin que chaque foyer reçoive une émission de qualité studio — tellement nette que vous pourriez la prendre pour ce que l'on appelle de la haute définition.

La correction d'erreurs et la compression de données sont les deux arguments en faveur de la télévision numérique. On peut placer quatre signaux TV de qualité studio dans la largeur de bande qui abritait avant une seule transmission analogique de mauvaise qualité. Non seulement l'image est meilleure, mais on peut ainsi potentiellement multiplier par quatre l'audience et les recettes publicitaires.

Quand ils parlent de numérisation, la plupart des responsables des médias ont en vue une diffusion plus efficace et de meilleure qualité que ce qui existe déjà. Mais, comme le cheval de Troie, ce cadeau aura des conséquences surprenantes. La numérisation va faire apparaître un contenu entièrement nouveau, de même que de nouveaux acteurs, de nouveaux modèles économiques et aussi, vraisemblablement, une industrie artisanale de producteurs d'information et de spectacle.

À terme, la numérisation de tous les médias — parce que les bits sont des bits — aura deux conséquences fondamentales et immédiates.

Premièrement, les bits se mêlent sans effort. On commence par les mélanger, puis on les utilise et on les réutilise ensemble ou séparément. On appelle « multimédia » le mélange de l'audio, de la vidéo et des données ; ce terme compliqué ne cache guère qu'un cocktail de bits.

Deuxièmement, un nouveau type de bit vient de naître : un bit qui vous informe sur les autres, les bits « d'en-tête » (*headers*). Ils sont bien connus des journalistes qui se servent de repères (que l'on ne voit jamais) pour identifier un article ou des auteurs scientifiques à qui l'on demande de fournir des mots clés avec leurs articles. Ces bits d'en-tête peuvent être une table des matières ou une description des données qui suivent. Aujourd'hui, sur votre CD, vous disposez d'entêtes simples qui vous permettent de passer d'une chanson à une autre et, dans certains cas, d'obtenir davantage d'information sur la musique. Ces bits ne sont ni visibles ni audibles mais en disent plus sur le signal à votre ordinateur, à une application spécifique, ou à vous-même.

Ces deux phénomènes, les bits qui se mélangent et les bits-à-propos-de-bits, modifient tellement le paysage médiatique que des concepts comme la vidéo à la demande et la livraison de jeux électroniques via votre câble local n'en sont que des applications banales — le sommet visible d'un iceberg. Pensez aux nouveaux horizons qu'ouvrirait une émission de télévision qui se composerait de données comprenant une description d'elle-même lisible par ordinateur. Vous pourriez programmer l'enregistrement selon le contenu, et non plus selon l'heure de passage ou la chaîne émettrice. Ou encore, que diriez-vous d'une description numérique unique pouvant générer un programme sous une forme soit audio, soit vidéo, soit textuelle à la réception ? Et si déplacer ces bits demande si peu d'efforts, quel avantage auraient sur vous et moi les grands médias ?

Voilà le genre de questions que pose la numérisation. Grâce à elle, un nouveau contenu résultant d'une combinaison entièrement nouvelle des sources devient possible.

Le siège de l'intelligence

La télévision est l'exemple type d'un média dans lequel toute l'intelligence se trouve au point d'origine. Le diffuseur décide, et le spectateur se contente de prendre ce qu'on lui donne. En fait, au centimètre cube, votre poste de télévision actuel est peut-être bien l'appareil le plus bête que vous ayez chez vous (et je ne parle même pas des programmes). Votre four à micro-ondes, si vous en avez un, contient plus de microprocesseurs que votre télé. Au lieu de penser à la prochaine évolution de la télévision en termes de plus haute résolution, de meilleures couleurs, ou d'un plus grand nombre de programmes, pensez-y en termes de redistribution de l'intelligence, ou, plus précisément, de déplacement de l'intelligence du diffuseur au récepteur.

Dans un journal, l'intelligence tout entière se trouve également à la source. Mais le média qu'est le journal papier apporte un peu de variété à l'uniformité de l'information, car il peut être consommé de différentes façons, par des gens différents, à des moments différents. Nous feuilletons les pages, guidés par des titres et des photos, et chacun d'entre nous a sa manière bien à lui de traiter les bits identiques livrés à des centaines de milliers de gens. Les bits sont

33

les mêmes, mais l'expérience de la lecture est différente.

Une manière de voir l'avenir du numérique est de se demander si l'on peut transposer la qualité d'un média dans un autre. Pourrait-on regarder la télévision comme on lit un journal ? Beaucoup pensent que la presse écrite offre une analyse plus approfondie que les informations télévisées. Est-ce bien inéluctable ? De même, on juge que, sur le plan sensoriel, la télévision est une expérience plus riche que les journaux. Est-ce bien inéluctable ?

Il faudrait créer des ordinateurs pour filtrer, trier, classer et gérer les multimédias à notre place — des ordinateurs qui liraient des journaux et regarderaient la télévision pour nous et ne retiendraient que ce qui nous intéresse. Ce type d'intelligence peut se situer à deux endroits différents.

Elle peut se situer chez l'émetteur et se comporter comme si vous aviez vos propres rédacteurs — comme si le *New York Times* publiait un journal unique adapté à vos besoins. Dans ce premier exemple, on a choisi un petit sous-ensemble de bits spécialement pour vous. Les bits sont filtrés, préparés et livrés, soit pour être imprimés chez vous, soit pour être visionnés plus interactivement à l'aide d'un écran électronique.

Dans le second exemple, votre système d'édition des informations se situe chez le récepteur et le *New York Times* émet un très grand nombre de bits, peut-être cinq mille articles différents, parmi lesquels votre appareil en sélectionne quelques-uns, selon vos intérêts, vos habitudes ou vos projets pour la journée.

Dans ce cas, l'intelligence se situe à l'extrémité réception, et l'émetteur passif envoie sans discrimination tous les bits à tout le monde.

L'avenir n'est pas à l'un ou à l'autre, mais aux deux.

2.

Une démythification
de la largeur de bande

Du filet d'eau au déluge

À la fin des années 60, à l'époque où j'étais maître assistant en infographie, personne ne savait ce que c'était. Les ordinateurs n'avaient absolument rien à voir avec notre vie quotidienne. Aujourd'hui, j'entends des hommes d'affaires de soixante-cinq ans se vanter du nombre d'octets de mémoire de leur organiseur de poche ou de la capacité de leurs disques durs. Certains parlent sans trop savoir ce que cela signifie de la rapidité de leur ordinateur et avec tendresse (ou non) de la personnalité de leurs systèmes d'exploitation. Dernièrement, j'ai rencontré une femme riche, charmante et très en vue, qui connaissait tellement bien le système d'exploitation de Microsoft qu'elle avait créé une petite société de conseils pour ses pairs « moins branchés ». On pouvait lire sur sa carte de visite : « *I do Windows* » (je fais les fenêtres).

La largeur de bande est une autre affaire. On ne la maîtrise pas très bien, surtout maintenant que la fibre optique nous fait passer sans transition d'une largeur de bande modeste à une autre presque infinie. La largeur de bande est la capacité de transporter de l'information par un canal donné. La plupart des gens la comparent au diamètre d'un tuyau ou au nombre de voies sur une autoroute.

Ces comparaisons font foin des différences plus subtiles et plus importantes qui existent entre les divers moyens de transmission (le fil de cuivre, la fibre optique ou les ondes hertziennes). Elles ignorent qu'il est possible d'envoyer plus ou moins de bits par seconde dans le même tuyau de cuivre, de fibre ou d'« air », selon la manière dont on conçoit (et module) le signal. Commençons par expliquer ce que sont les lignes téléphoniques en cuivre, les liaisons par fibres optiques et le spectre radio, cela nous permettra de mieux comprendre le mouvement de nos bits sans poids.

On considère que les fils téléphoniques de cuivre, la « paire torsadée » (expression qui remonte au temps où les fils du téléphone ressemblaient aux fils de lampe torsadés), sont un canal à faible largeur de bande. Il n'en reste pas moins qu'en Amérique il existe un réseau de lignes téléphoniques capable de transporter jusqu'à 6 millions de bits par seconde avec le modem approprié (modem est la contraction des mots « modulateur-démodulateur », la conversion de bits en fréquences vocales et vice versa). Un modem a généralement un débit de 9 600 bits par seconde ou bauds. (Le baud, qui tient son nom d'Émile Baudot, le « M. Morse » du télex, et le bit par seconde ne sont pas, techniquement parlant, la même chose. Cependant, on a fini par utiliser indifféremment l'un et l'autre terme.)

37

Des modems plus complexes peuvent fonctionner à 38 400 bauds (ce qui est encore plus de cent fois plus lent que la capacité de livraison potentielle du fil de cuivre). Le fil de cuivre est un peu comme la tortue de la fable. Il est lent, mais pas autant qu'on le croit.

Dites-vous que la fibre optique a une capacité infinie. Nous ne savons littéralement pas combien de bits par seconde on peut faire passer dans une fibre optique. Selon les études récentes, nous ne sommes pas loin de pouvoir transporter 1 000 milliards de bits par seconde. Cela signifie qu'une fibre de la taille d'un cheveu peut délivrer en moins d'une seconde tous les numéros du *Wall Street Journal* depuis sa création. En transmettant des données à cette vitesse, une fibre optique peut diffuser simultanément un million de chaînes de télévision — cela représente en gros un débit deux cent mille fois plus rapide que la paire torsadée. C'est un bond en avant colossal. Et notez bien que je ne parle que d'une fibre ! Si vous en voulez plus, il vous suffit d'en fabriquer et d'en poser davantage. Après tout, ce n'est jamais que du sable.

On pense généralement que la capacité de transmission de l'éther (les ondes « aériennes » dans le langage populaire) est infinie : c'est de l'air, et on en trouve partout en quantité. Ce mot « éther » que j'emploie n'a en fait qu'une signification historique ; une fois qu'on a découvert les ondes radio, l'éther est devenu la mystérieuse substance à travers laquelle elles voyagent ; les tentatives pour le trouver se sont soldées par un échec, mais elles ont au moins permis de découvrir les photons. Les satellites géostationnaires orbitent à 36 000 km d'altitude au-dessus de l'équateur (ce qui signifie que cette enveloppe extérieure contient quelque 34 000 milliards de km^3 d'éther). Une telle quantité d'éther devrait être capable de véhiculer un nombre considérable de bits sans qu'ils entrent en collision. En un sens, c'est vrai quand on songe aux millions de télécommandes dans le monde qui utilisent la communication sans fil avec des postes de télévision et appareils du même genre. Ces télécommandes ont une puissance tellement infime que les quelques bits de données qui voyagent entre votre main et votre poste de télévision n'interfèrent pas sur les chaînes captées dans la maison d'à côté ou dans la ville voisine. Avec le téléphone sans fil, c'est un peu une autre histoire, nous sommes nombreux à en avoir fait l'expérience.

Toutefois, le jour où nous utiliserons l'éther pour des télécommunications et des transmissions de plus grande puissance, il faudra veiller à ce que les signaux n'interfèrent pas les uns avec les autres. Nous devrons accepter de nous installer dans des parties prédéterminées du spectre de fréquences, et nous ne pourrons pas nous conduire comme des goinfres avec l'éther. Nous devrons en faire l'usage le plus efficace possible. Contrairement à la fibre optique, il nous est impossible d'en fabriquer davantage. La nature s'en est chargée une bonne fois pour toutes.

Il y a bien des manières d'être efficace. On peut, par exemple, réutiliser des parties du spectre en fabriquant une grille de cellules de transmission qui permette de se servir des mêmes fréquences avec un certain décalage, ou de s'installer dans des parties du spectre que l'on évitait jusqu'ici (ne serait-ce que parce que ces fréquences risquent de faire griller des oiseaux innocents). Mais, aussi astucieux soit-on, la largeur de bande disponible dans l'éther n'en reste pas moins peu abondante par comparaison avec ce qu'offre la fibre optique que l'on peut fabriquer et poser à satiété. Pour cette raison, j'ai suggéré que l'information transmise par le fil et l'information sans fil d'aujourd'hui échangent leur place.

Bob Kerrey, sénateur du Nebraska, a passé deux ou trois heures au Media Lab pendant la campagne pour les présidentielles. Quand nous avons été présentés, il s'est exclamé : « Ah ! la commutation Negroponte ! » L'idée, que j'ai évoquée et illustrée pour la première fois lors d'une réunion de Northern Telecom où Gilder [1] et moi étions des intervenants, est simplement que l'information qui voyage à l'heure actuelle par le sol (lire par des fils) nous arrive à l'avenir par l'éther, et vice versa. En d'autres termes, ce qui est dans l'air va aller dans le sol et ce qui est dans le sol va aller dans l'air. J'avais appelé cela « un échange de place », Gilder a parlé de la « commutation Negroponte », et le nom est resté.

Selon moi, cet échange tombe sous le sens pour la bonne raison que la largeur de bande dans le sol est infinie, alors qu'elle ne l'est pas dans l'air. L'éther est unique, mais le nombre de fibres est illimité. Peut-être allons-nous finir par utiliser l'éther de plus en plus judicieusement mais, quoi qu'il arrive, nous avons intérêt à réserver la totalité du spectre à notre dispo-

---

1. G. Gilder est l'auteur de *Microcosme,* éd. Inter, 1990, et de *Y-a-t-il une vie après la télé ?*, éd. Dagorno, 1994.

sition pour communiquer avec des objets qui se déplacent et que l'on ne peut relier au sol, comme un avion, un bateau, une voiture, une valise ou une montre.

La fibre optique : un phénomène naturel

En 1989, la chute du mur de Berlin a été accueillie par la *Deutsche Bundespost* avec une joie mitigée parce que, selon elle, l'événement se produisait avec cinq à sept ans d'avance. Il était trop tôt pour construire un réseau téléphonique tout en fibre en Allemagne de l'Est parce que les prix étaient encore trop élevés.

Aujourd'hui, la fibre est meilleur marché que le cuivre, même en comptant le coût de l'électronique à chaque extrémité. Si vous rencontrez une situation où ce n'est pas encore le cas, patientez quelques mois... les prix des connecteurs, des commutateurs et des transducteurs à fibre sont en chute libre. À l'exception des cas où les lignes de communications ne font que quelques mètres ou dizaines de mètres de long et où les installateurs qualifiés manquent, il n'y a pas lieu aujourd'hui d'utiliser le cuivre dans les télécommunications (surtout si l'on inclut le prix de l'entretien du cuivre). Les Chinois se servent de la fibre optique pour une tout autre raison : les villageois récupèrent le cuivre pour le revendre au marché noir.

Seul véritable avantage du cuivre : il peut transporter de l'énergie. C'est un sujet sur lequel les compagnies de téléphone sont très chatouilleuses. Elles ne ratent pas une occasion de rappeler que, pendant un ouragan, vous n'aurez peut-être plus de courant, mais que votre téléphone a de fortes chances de fonctionner. Si votre installation téléphonique était en fibre plutôt qu'en cuivre, elle devrait être alimentée par votre compagnie d'électricité locale et serait donc sensible aux coupures. Vous pourriez bien sûr vous équiper d'un générateur, mais ce serait une solution peu commode parce que cela nécessite une attention et un entretien particuliers. Pour cette raison, on risque fort de voir apparaître une fibre gainée de cuivre ou du cuivre gainé de fibre. Mais du point de vue des bits, la planète branchée finira par l'être sur fibre.

À l'heure actuelle, les compagnies de téléphone américaines rénovent environ 5 % de leurs installations par an, et elles remplacent le cuivre par de la fibre optique pour des raisons d'entretien, entre autres. Même si cette modernisation ne touche pas encore tout le réseau, on peut se dire qu'à ce rythme-là, dans vingt ans pile, tout le pays pourrait bien être équipé de fibre optique. En fait, nous sommes en mesure de développer rapidement une infrastructure nationale en très large bande que nous en ayons besoin ou non, ou que nous sachions ou non nous en servir. Au moins, si l'installation téléphonique est en fibre, le service du téléphone sera non seulement de meilleure qualité mais plus fiable.

Il a fallu plus de dix ans pour corriger l'erreur commise par le juge Harold Greene en 1983 quand il a interdit aux compagnies de téléphone (les RBOC : *Regional Bell Operating Companies*) d'entrer dans l'industrie de l'information et du spectacle. En l'occurrence, l'approbation par la FCC *(Federal Communications Commission)* de ce que l'on a appelé la

« tonalité vidéo » le 20 octobre 1994 a été un grand pas en avant.

L'ironie veut que les groupes de pression victorieux des compagnies de téléphone aient recouru à un argument gratuit mais efficace pour justifier leur entrée dans le monde de l'information et du spectacle. Ils ont prétendu que le service téléphonique habituel ne suffisait pas et que si on ne les autorisait pas à produire davantage de données, l'énorme coût d'une nouvelle infrastructure (lire la fibre) ne se justifiait pas.

Attention ! Les compagnies de téléphone ont toujours été des producteurs d'information. En fait, les plus gros profits de la plupart d'entre elles viennent des pages jaunes. Seulement voilà, tant qu'elles glissaient dans votre boîte aux lettres cette information sous la forme d'atomes, personne ne trouvait rien à redire. En revanche, stocker cette information sous la forme de bits et vous la transmettre électroniquement, là, c'était illégal. C'est du moins ainsi que le juge Greene voyait les choses.

Les groupes de pression ont donc dû affirmer que les compagnies de téléphone devaient nécessairement entrer dans le secteur de la livraison électronique de l'information pour justifier les coûts d'installation d'un réseau régional à fibre optique. Sans leur apport économique, il n'y avait pas suffisamment de raisons pour effectuer un tel investissement. L'argument a porté ; les compagnies de téléphone entrent à présent en force dans le monde de l'information et du spectacle et installent de la fibre un peu plus vite qu'avant.

C'est un résultat positif, selon moi. Le consommateur va en bénéficier, mais l'argument était gratuit.

43

Les compagnies de téléphone risquent bien d'être prises au piège de leurs propres raisonnements spécieux face à des lois spécieuses. Nous n'avons pas besoin de ces énormes largeurs de bande pour délivrer la plupart des services d'information et de spectacle. En fait, une largeur de bande plus modeste de l'ordre de 1,2 à 6 millions de bits par seconde convient parfaitement à la plupart des multimédias existants. Nous sommes encore loin de comprendre ou de pouvoir exploiter le potentiel créatif de 1,2 à 6 millions de bits. Les avocats et les cadres des compagnies de téléphone ont peut-être consacré dix ans à faire pression sur le juge Greene, mais ils ont oublié l'énorme infrastructure déjà en place : la paire torsadée.

Peu de gens mesurent l'efficacité des bonnes vieilles lignes téléphoniques en cuivre. L'ADSL (*Asymmetrical Digital Subscriber Loop* : boucle d'abonné numérique asymétrique) est une technique permettant d'envoyer de vastes quantités de données dans des fils de cuivre relativement courts. L'ADSL-1 peut transmettre 1 million 544 bits par seconde (et en recevoir 64 000) dans 75 % des foyers américains et 80 % des foyers canadiens. L'ADSL-2 a un débit de plus de 3 millions de bits par seconde, et l'ADSL-3, de plus de 6 millions. L'ADSL-1 convient parfaitement à la vidéo de qualité VHS.

À long terme, ce n'est pas une solution pour porter les multimédias dans les foyers, mais il est curieux qu'on l'ignore à ce point. On prétend que cela s'explique par le coût élevé par abonné. Mais ce coût est dû à des volumes artificiellement faibles. Et même si le coût est élevé pour l'instant, de l'ordre d'un millier de dollars, c'est une dépense supportable, puisqu'il s'agit d'un abonnement par foyer. En outre, de nombreux Américains seraient disposés à payer ce millier de dollars en trois ou quatre ans, si les services en valaient la peine, prenant ainsi part au coût de lancement. La fibre est donc l'avenir, mais nous n'avons pas encore épuisé toutes les ressources de notre installation de cuivre actuelle.

Nombre de gens ne mesurent pas le potentiel du cuivre. Ils se ruent sur la fibre, synonyme d'une largeur de bande illimitée, pour conserver une avance sur la concurrence sans se rendre compte que mère nature et les intérêts commerciaux, plus que des incitations d'ordre réglementaire, vont faire que la fibre se répandra naturellement. Tels des chiens en chaleur, les experts de la large bande sont à l'affût de toutes les opportunités politiques pour créer des réseaux à large bande comme s'il s'agissait d'un impératif national ou d'un droit civique. En fait, une largeur de bande illimitée peut avoir l'effet paradoxal et négatif de noyer les gens sous un trop grand nombre de bits et de condamner les appareils de réception à une passivité inutile. Disposer d'une largeur de bande illimitée n'est ni bien ni mal, mais, comme la liberté sexuelle, ce n'est pas forcément bon non plus. Avons-nous vraiment besoin de tous ces bits ?

Moins, c'est plus

Plus cela va, plus cette expression de l'architecte Mies Van der Rohe rejoint mes conclusions sur la quantité d'information à transmettre et les médias qui la véhiculeront. C'est vrai de presque tous les nouveaux médias aux mains de débutants. Les débutants ne comprennent pas que « moins, c'est plus ».

Prenez l'exemple du caméscope. La première fois que vous vous servirez d'un caméscospe, vous allez très certainement multiplier les panoramiques et les zooms, grisé que vous serez par cette liberté d'action toute neuve qui vous est offerte. Le résultat, un film tout en zigzag, sera souvent affreusement gênant à montrer (même la famille grince des dents devant ce débordement de panoramiques et de zooms). Avec le temps, vous finirez par vous calmer et faire preuve de plus de modération dans l'usage de votre caméscope.

Cette trop grande liberté a également des conséquences néfastes sur vos sorties d'imprimante laser. La possibilité de modifier le style et le corps des caractères pollue bien des documents actuels où l'on mélange sans vergogne des caractères avec ou sans empattement de toute sorte : caractère normal, gras, italique, ombre... Il faut être déjà averti en typographie pour savoir qu'il vaut généralement mieux s'en tenir à un seul type de caractère et ne changer de corps qu'avec modération. Moins, c'est plus.

C'est pareil pour la largeur de bande. La mode est de dire que nous devrions utiliser une grande largeur de bande parce que nous l'avons. Cela ne tient pas debout. En effet, certaines lois naturelles de la largeur de bande suggèrent qu'envoyer davantage de bits à quelqu'un n'est pas plus malin ou logique que d'augmenter le volume de la radio pour obtenir plus d'informations.

Par exemple, 1,2 million de bits par seconde en 1995 est le seuil pour ce que l'on est venu à appeler la vidéo de qualité VHS. Si vous voulez une télévision de meilleure qualité, vous pouvez toujours doubler, voire tripler ce chiffre. Mais il sera difficile de trouver un usage à plus de 6 millions de bits par seconde par personne pour délivrer des services nouveaux et imaginatifs... si tant est que nous les ayons sous la main.

Les nouveaux services d'information et de spectacle n'attendent pas que l'on installe des fibres, ils attendent de l'imagination.

Compresser 100 000 bits en 1

Le lien entre la largeur de bande et l'informatique est subtil. Le principe des vases communicants entre la largeur de bande et l'informatique est évident aujourd'hui dans les vidéotéléphones et les systèmes de téléconférence plus onéreux. À partir du moment où on dispose de capacité de traitement aux deux extrémités de la ligne, on peut échanger moins de bits. En dépensant un peu d'argent pour traiter la vidéo numérique à chaque extrémité, par la compression et la décompression, on peut utiliser un débit moindre et économiser de l'argent dans la transmission.

La vidéo numérique en général est un exemple de compression de données qui ne tient pas compte du contenu. On utilise les mêmes techniques de codage pour un match de football, une interview au coin du feu ou une poursuite à la James Bond. Il n'est pas nécessaire d'être informaticien pour deviner que chacun de ces programmes se prêterait à des approches très différentes de la compression de données. Dès que l'on s'intéresse au contenu, le mode de compression change. Prenez l'exemple suivant.

Imaginez six personnes en train de dîner qui discutent d'un ami absent. Au beau milieu de la conversation sur X, je fais un clin d'œil à ma femme. À la fin du dîner, vous venez me demander ce que je lui ai dit.

Je vous explique alors que nous avons dîné avec X deux jours avant et qu'à cette occasion il nous a expliqué que, contrairement à... il était en fait... même si on pensait que... mais il avait décidé que... etc. En d'autres termes, environ 100 000 bits plus tard, je suis en mesure de vous dire ce que j'ai communiqué à ma femme à l'aide de 1 bit (vous me pardonnerez de prendre la liberté de supposer qu'un clin d'œil vaut 1 bit).

En l'occurrence, l'émetteur (moi) et le récepteur (ma femme) partagent une masse de connaissances, si bien qu'ils peuvent communiquer en sténo. Le bit que j'ai envoyé dans l'éther s'est dilaté dans l'esprit d'Elaine, déclenchant beaucoup plus d'information. Si vous me demandez de vous expliquer ce que j'ai dit, je suis obligé de vous livrer la totalité des 100 000 bits. Je perds donc le bénéfice de la compression de 100 000 données en 1.

Cela me rappelle l'histoire de ce couple qui connaissait tellement bien des centaines d'histoires coquines qu'ils se contentaient de se réciter des numéros. Ces chiffres suffisaient pour évoquer une histoire entière et déclencher un fou rire chez l'un ou l'autre. On fait un usage plus prosaïque de cette méthode dans la compression de données informatiques en numérisant des mots longs d'usage fréquent et en envoyant ces quelques bits à la place de la série de lettres. Nous avons des chances de voir se multiplier ce genre de techniques quand nous échangerons de la largeur de bande contre un savoir partagé. La condensation d'information nous permet non seulement d'économiser le coût de transport des bits mais aussi notre temps.

L'économie des bits

Avec le système actuel de facturation du téléphone, je paierais cent mille fois plus pour vous transmettre mon anecdote sur X que pour la transmettre à Elaine. Les compagnies de télécommunications n'ont rien à gagner en transportant moins de bits. À l'heure actuelle, on facture à la seconde ou au bit, quel que soit le bit.

Pour comprendre l'économie de la largeur de bande, la question à se poser est de savoir si certains bits valent plus que d'autres. La réponse est oui, manifestement. Le problème devient plus complexe quand on se demande si la valeur d'un bit devrait varier non seulement en fonction de sa nature (un bit de film, un bit de conversation ou un bit de *pacemaker*) mais aussi en fonction de celui qui l'utilise, de l'heure ou du lieu de son utilisation.

La plupart des gens, même l'équipe de *National Geographic,* s'accorderaient pour dire qu'un enfant de six ans qui se sert de leurs archives photo pour ses devoirs devrait avoir accès à ces bits gratuitement ou presque. En revanche, si je devais y recourir pour un article ou un projet, je devrais payer un bon prix, voire un peu plus pour subventionner l'enfant de six ans. Les bits ont non seulement une valeur différente, mais cette valeur fluctue selon l'utilisateur et l'usage qu'il en fait. On va se retrouver avec des bits d'aide sociale, des bits de minorités, des bits de handicapés. Il va falloir beaucoup de créativité pour établir un système de facturation équitable.

La modulation du prix du bit selon sa nature n'est pas une nouveauté. Je suis abonné au *Dow Jones,* ce qui me permet de consulter les cours de la Bourse avec un décalage d'un quart d'heure. Si je voulais connaître les cotations en temps réel comme mon oncle de quatre-vingts ans qui est agent de change, il faudrait que je verse une somme considérable au *Dow Jones* ou à mon oncle. C'est l'équivalent moderne de la différence des coûts entre la poste par avion ou par voie de terre.

Dans le cas de l'information en temps réel, les besoins de largeur de bande sont dictés par le médium du discours. Pour une conversation téléphonique, cela n'avance à rien d'être en mesure de vous envoyer ma voix plus vite que je ne parle. Si, au contraire, elle vous arrive plus lentement ou avec un certain retard, cela devient intolérable. Le quart de seconde de retard de la connexion téléphonique par satellite déconcerte la plupart des gens.

Mais si j'enregistre un message sur cassette, que je veuille vous l'envoyer et que l'on me facture cet appel à la minute, j'aurais certainement envie que le plus grand nombre de bits voyage par seconde. Ce sentiment est bien connu des utilisateurs de modems qui se branchent dans tout le pays pour emmagasiner ou livrer des données avec leur portable. Il n'y a pas si longtemps, 2 400 bits par seconde était considéré comme une très bonne vitesse de transmission. Aujourd'hui, 38 400 bits par seconde devient courant et permet quelque 94 % de réduction des factures téléphoniques.

Heureusement pour les compagnies de téléphone, plus de 50 % du trafic téléphonique au-dessus du Pacifique et 30 % de celui au-dessus de l'Atlantique se font par fax à raison de 9 600 bits par seconde, au lieu des 64 000 qui sont également disponibles.

Des étoiles et des boucles

L'important n'est pas seulement la largeur de bande des canaux mais aussi leur configuration. Pour simplifier, disons que le système téléphonique est un réseau en « étoile », avec des lignes qui rayonnent à partir d'un point, comme les avenues autour de la place de l'Étoile. La liaison est directe, dans les deux sens, entre votre maison et le central téléphonique le plus proche. Vous pourriez très bien remonter jusqu'à votre central téléphonique en suivant la paire torsadée.

En revanche, la télévision par câble est apparue sous la forme d'une « boucle », comme une guirlande de sapin de Noël, qui passe de foyer en foyer. La forme de ces réseaux respectifs, étoile ou boucle, s'adapte parfaitement au type de largeur de bande, étroite pour le fil torsadé et plus large pour un câble coaxial. Dans le premier cas, chaque foyer est desservi par une ligne spécialisée à faible largeur de bande. Dans le second, un grand nombre de foyers partagent un service de bande large commun.

L'architecture des étoiles et des boucles dépend également de la nature du contenu. Dans le cas du réseau téléphonique, chaque conversation est différente, et les bits qui vont dans un foyer n'ont absolument aucune incidence sur les autres (sauf un, peut-être). La nature de ces opérations en fait un vaste système point à point. Dans le cas de la télévision, des voisins partagent le contenu des programmes, ce qui rend l'approche guirlande de Noël très logique, c'est-à-dire un système point à multipoint. Par conformisme, les opérateurs du câble ont surtout reproduit l'émission terrestre telle que nous la connaissons, en faisant passer la télévision de l'éther à des fils sous terre.

Mais le conformisme n'est jamais que du conformisme. La livraison de programmes de télévision va changer de manière radicale : on ne pourra plus se contenter de la sélection offerte à son voisin, ni se plier à des horaires précis. Pour cette raison, les compagnies du câble adoptent de plus en plus l'approche des compagnies de téléphone, en multipliant les commutations et les branchements particuliers. En fait, dans vingt-cinq ans, il n'y aura peut-être plus de différence entre le câble et le téléphone, tant sur le plan de la gestion qu'en termes d'architecture des réseaux : la plus grande partie du câblage sera en étoile. On installera des boucles dans des zones bien délimitées ou sous la forme d'émission sans fil, où le média de distribution passe par définition dans tous les foyers simultanément.

Des paquets de bits

Nombre de ceux qui adoptent timidement le numérique recourent à des images de plomberie quand ils pensent largeur de bande. Penser aux bits en termes d'atomes débouche sur des images de tuyaux de gros et de petit calibre, de robinets et de lances d'incendie. On dit souvent qu'utiliser de la fibre revient à boire à une lance d'incendie. L'analogie est constructive mais trompeuse. L'eau peut couler ou ne pas couler. On peut régler le débit d'un tuyau d'arrosage de jardin en fermant le jet. Mais même quand le flot sortant d'une lance à incendie devient un filet d'eau, les atomes d'eau se déplacent en groupe.

Les bits sont différents. Un télésiège serait une meilleure analogie. Le télésiège se déplace à une vitesse constante, quel que soit le nombre de gens qui montent dessus ou en descendent. De même, vous faites un paquet d'un certain nombre de bits, puis vous le lâchez dans un tuyau capable de le livrer à un rythme de millions de bits par seconde. Si je lâche un paquet de 10 bits toutes les secondes dans un tuyau à débit rapide, ma largeur de bande réelle est de 10 bits par seconde, pas la vitesse du tuyau.

Malgré ses allures de gaspillage, c'est en fait une

notion judicieuse, car vous n'êtes pas le seul à lâcher des paquets dans le même tuyau — c'est la base de systèmes comme Internet et l'ATM (mode de transfert asynchrone, le fonctionnement de tous les réseaux téléphoniques dans un proche avenir) ou Transpac (réseau de transmission de données appartenant à France Télécom) en France. Au lieu d'encombrer une ligne téléphonique entière, comme vous le faites maintenant pour la voix, vous placez vos paquets dans la file avec des noms et des adresses fixés dessus, si bien qu'ils savent quand et où descendre de ce télésiège. Vous payez pour des paquets, pas pour des minutes.

On peut voir cette mise en paquets de largeur de bande sous un autre angle : le meilleur moyen d'utiliser un milliard de bits par seconde est d'utiliser un millier de bits en un millionième de seconde, un million de bits en un millième de seconde, etc. Dans le cas de la télévision, par exemple, on pourrait recevoir une heure de vidéo en quelques secondes, au lieu du principe du robinet à flot continu actuel.

Au lieu de livrer un millier de programmes de télévision à tout le monde, peut-être vaudrait-il mieux livrer un programme à chacun en un millième du temps réel. Cela va révolutionner notre approche des médias. La diffusion de la plupart des bits n'aura absolument rien à voir avec le rythme auquel nous autres humains les consommons.

3.

La bitdiffusion

Que reproche-t-on donc à cette image ?

Quand vous ronchonnez devant votre poste de télévision, ce n'est probablement pas à cause de la résolution de l'image, de la forme de l'écran ou de la qualité du mouvement, mais à cause de la pauvreté des programmes. Les chaînes se multiplient, et c'est toujours le désert. Pourtant, presque toute la recherche actuelle dans le domaine de la télévision vise à améliorer l'image plutôt que la qualité du contenu.

En 1972, quelques Japonais visionnaires se sont interrogés sur la prochaine évolution possible de la télévision. Ils ont conclu qu'il s'agirait d'une plus haute résolution en postulant que le passage du noir et blanc à la couleur serait suivi d'une télévision de qualité filmique, en d'autres termes la télévision à haute définition (TVHD). Dans un monde analogique, c'était une démarche logique si l'on voulait améliorer la télévision, et c'est bien ce que les Japonais ont fait pendant les quatorze années suivantes, en l'appelant Hi-Vision.

En 1986, l'Europe s'est inquiétée à la perspective

de voir une nouvelle génération de télévision domi-
née par les Japonais. Pire encore, les États-Unis ont
adopté la Hi-Vision et ont fait pression aux côtés des
Japonais pour que cela devienne la norme.
Aujourd'hui, nombre des partisans de la TVHD américaine et la plupart des néonationalistes se font fort
d'oublier qu'ils se sont trompés en soutenant un
modèle analogique japonais. Par mesure purement
protectionniste, les Européens ont rejeté la Hi-Vision,
nous rendant là un fier service, même si ce n'était pas
pour de bonnes raisons. Ils ont alors entrepris de mettre au point leur propre système analogique de TVHD
— HD-MAC — qui, selon moi, était un petit peu moins
bien que la Hi-Vision.

Plus récemment, les États-Unis sont sortis de leur
torpeur pour s'attaquer au problème de la TVHD avec
le même abandon analogique que le reste du monde.
Ils sont ainsi devenus le troisième pays à considérer
que l'avenir de la télévision se résumait à un problème
de qualité d'image et, pire encore, à tenter de le résoudre à l'aide de techniques analogiques éculées. Tout
le monde pensait qu'une qualité d'image améliorée
était la voie à suivre. Erreur fatale !

Rien ne prouve que les consommateurs préfèrent
une meilleure image à un meilleur contenu. D'autant
que rien ne garantit que les solutions proposées
jusqu'ici pour la TVHD vont améliorer la qualité de
l'image de façon suffisamment sensible, par comparaison avec la télévision de qualité studio disponible
aujourd'hui (que vous n'avez probablement jamais
vue et dont vous ne pouvez donc pas imaginer la

perfection). Dans l'état actuel de la haute définition, la TVHD est une bêtise.

Les derniers seront les premiers

En 1990, selon toute apparence, le Japon, l'Europe et les États-Unis prenaient des orientations complètement différentes en matière de télévision améliorée. Le Japon avait alors investi quelque dix-huit ans de capitaux et d'efforts dans la TVHD. Pendant ce temps-là, les Européens, qui avaient vu le marché de l'informatique leur échapper, étaient bien déterminés à empêcher que pareille mésaventure ne se reproduise avec la télévision. Pour leur part, les États-Unis, qui n'avaient pratiquement pas d'industrie de la télévision, considéraient la TVHD comme l'occasion rêvée d'opérer un retour sur le marché de l'électronique grand public (que des entreprises aux idées courtes comme Westinghouse, RCA et Ampex venaient de laisser choir).

Quand l'Amérique a relevé le défi d'améliorer la technologie de la télévision, la compression numérique n'était pas encore assez développée pour qu'on l'adopte d'emblée. En outre, les protagonistes — les fabricants de matériel TV — n'étaient pas les bons acteurs : contrairement aux jeunes entreprises numériques, comme Apple et Sun Microsystems, les entreprises concernées baignaient dans l'analogique. Pour elles, la télévision était une histoire d'images, pas de bits.

Mais en 1991, peu après le réveil américain, du jour

57

au lendemain ou presque, tout le monde s'est mis à défendre avec ferveur la télévision numérique, marchant dans les pas de General Instrument Corporation. En moins de six mois, tous les projets américains pour la TVHD sont passés de l'analogique au numérique. On commençait à avoir des preuves que le traitement de signaux numériques allait être rentable, ce que l'Europe a contesté jusqu'en février 1993.

En septembre 1991, j'ai eu un déjeuner de travail avec une partie du cabinet de Mitterrand. Peut-être est-ce dû au fait que le français est ma seconde langue, mais toujours est-il que je n'ai jamais réussi à convaincre mes interlocuteurs que je n'essayais pas de leur faire abandonner ce qu'ils appelaient leur « produit leader » mais plutôt leur orientation suicidaire.

En 1992, Kiichi Miyazawa, le Premier ministre japonais, a sursauté quand je lui ai appris que la Hi-Vision était dépassée. En revanche, Margaret Thatcher m'a écouté. Finalement, fin 1992, la décision hardie de John Major d'opposer son veto au vote d'une subvention de 600 millions d'écus à la programmation TVHD a provoqué un revirement de tendance. Début 1993, l'Union européenne (qui s'appelait alors la Communauté européenne) a fini par prendre la décision d'abandonner la TVHD analogique au bénéfice du numérique.

Les Japonais savent pertinemment que la TV numérique est l'avenir. Quand Akimasa Egawa, le malheureux directeur du bureau des télécommunications au ministère des PTT, a suggéré, en février 1994, que le Japon rejoigne le monde numérique, les leaders industriels ont hurlé au casse-cou et l'ont forcé à démentir. Le Japon avait consacré tellement de fonds publics à la TVHD qu'il n'était pas question de crier sur tous les toits qu'il était temps de limiter les dégâts.

Je me rappelle très bien avoir vu à la télévision une brochette de présidents des principales compagnies d'électronique grand public clamer haut et fort qu'ils soutenaient totalement la bonne vieille Hi-Vision analogique, sous-entendant par là que le secrétaire d'État avait perdu la tête. J'ai été obligé de mordre ma langue numérique : connaissant chacun d'eux personnellement, je les avais entendus affirmer le contraire et j'avais été le témoin de leurs efforts respectifs en matière de TV numérique. À vouloir sauver la face, on devient un véritable Janus.

La bonne technologie,
mais pas les bons problèmes

La bonne nouvelle, c'est qu'aux États-Unis, nous appliquons la bonne technologie, le numérique, à l'avenir de la télévision. La mauvaise nouvelle, c'est que nous continuons bêtement à nous préoccuper des mauvais problèmes, à savoir la qualité de l'image : la résolution, la fréquence d'images, et la forme de l'écran (le rapport largeur/hauteur). Pire, nous tentons de définir des normes. Le grand avantage du monde numérique, c'est que ce n'est pas nécessaire.

Même le monde analogique devient moins têtu. Tout touriste américain sait qu'il a intérêt à partir pour l'Europe muni d'un transformateur pour convertir son rasoir en 110 volts au 220. On raconte qu'un jour qu'il se trouvait sur le parking d'IBM à Boca Rato, en Floride, Don Estridge a exigé que le PC, dont il est l'inventeur, puisse fonctionner indifféremment sur 110 ou 220 volts. On l'a écouté, si bien qu'aujourd'hui pratiquement tous les PC peuvent se brancher partout. On pourrait voir la chose sous cet angle : on a répondu à la demande d'Estridge en mettant cette intelligence dans la machine (que la prise prenne donc le relais de l'homme pour régler ce problème). Un message que les fabricants de télévision feraient bien d'entendre.

Nous voyons de plus en plus de systèmes qui s'adaptent non seulement au 110 et au 220 volts, au 60 Hz et au 50 Hz, mais aussi au nombre de lignes et à la fréquence d'images et au rapport largeur/hauteur. L'équivalent se produit déjà avec les modems qui « se serrent la main » assez longtemps pour décider des meilleurs protocoles de communications possible. Par extension, on retrouve le même phénomène dans le courrier électronique, où les systèmes utilisent divers protocoles pour passer des messages entre différentes machines, avec plus ou moins de succès — mais pratiquement sans jamais échouer.

Être numérique, c'est se donner les moyens de grandir. Au début, il n'est pas nécessaire de mettre des points sur tous les i. On peut prévoir des points de connexion pour les extensions futures et développer des protocoles permettant aux chaînes de bits de s'informer les unes sur les autres. Les experts de la TV numérique ont ignoré cette propriété. Non seulement ils se sont attelés au mauvais problème, la haute définition, mais ils traitent toutes les autres variables comme les 110 volts d'un séchoir à cheveux.

Le débat autour du balayage entrelacé est un exemple parfait de cette erreur d'aiguillage. La télévision reproduit 30 images par seconde (25 en Europe). Chaque image se compose de deux trames, chacune comportant des lignes (les paires et les impaires). Une image vidéo se compose donc de deux trames balayées par un faisceau en 1/60 de seconde. Quand vous regardez la télévision, vous voyez 60 trames par seconde (pour unifier le mouvement) « entrelacées », chacune ne comportant qu'une ligne sur deux, donc n'occupant qu'une moitié de l'image. Par conséquent, vous percevez un mouvement de bonne qualité et vous voyez les objets statiques très distinctement avec seulement la moitié de la largeur de bande — une excellente idée pour la télévision quand elle était analogique et que la largeur de bande primait.

Le dilemme vient des écrans d'ordinateur pour lesquels le balayage entrclacé est inutile, voire néfaste pour les images fixes. Les écrans d'ordinateur ont besoin d'être plus exacts (une plus grande résolution), et le mouvement joue un rôle très différent sur nos écrans vus de très près. Le balayage entrelacé n'a aucun avenir avec les ordinateurs et a tout de l'abomination par excellence pour l'informaticien.

Mais le balayage entrelacé mourra de sa belle mort. Voter une loi contre lui serait à peu près aussi raisonnable que de voter une loi visant à réduire la consommation d'alcool. Le monde numérique a beaucoup plus d'élasticité que le monde analogique dans la mesure où des signaux peuvent transporter toutes sortes de données supplémentaires sur leur propre compte. Les ordinateurs sont capables de traiter et de post-traiter des signaux, d'ajouter et de soustraire l'entrelacement, de changer la fréquence d'images et de modifier le rapport largeur/hauteur, d'adapter le facteur de forme rectangulaire d'un signal donné à la forme d'un écran donné. Pour cette raison, il vaut mieux ne pas chercher à créer une norme fixe, ne serait-ce que parce que ce qui paraît logique aujourd'hui se révélera aberrant demain.

À *géométrie variable, comme la constitution américaine*

Le monde numérique est intrinsèquement modulable. Il peut grandir et évoluer d'une manière plus continue et organique que les précédents systèmes analogiques. Quand vous achetez un poste de télévision neuf, vous jetez le vieux. Au contraire, si vous possédez un ordinateur, vous avez l'habitude d'ajouter des extensions matérielles et logicielles, au lieu de tout changer pour une amélioration minime. En fait, le mot « amélioration » a une petite tonalité numérique. Nous sommes de plus en plus habitués à améliorer les systèmes, à obtenir un meilleur affichage, à installer un meilleur son, et à attendre de notre logiciel de mieux marcher, plutôt que pas du tout. Pourquoi la TV n'est-elle pas comme ça ?

Elle le sera. Aujourd'hui, nous sommes prisonniers de trois normes analogiques. Aux États-Unis et au Japon, on utilise le NTSC *(National Television Systems Committee)*, même si les Européens vous diront qu'il vaudrait mieux l'appeler «Jamais la même couleur» *(Never The Same Color)*. En Europe, le PAL domine et, en France, le SECAM. Le reste du monde suit bon gré, mal gré, utilisant l'un des trois procédés sous sa forme pure ou impure, avec presque autant de logique que dans son choix d'une seconde langue.

Choisir le numérique, c'est se libérer de normes contraignantes. Si votre TV ne parle pas un dialecte particulier, il vous suffira d'aller chercher un décodeur numérique dans le magasin d'informatique le plus proche, tout comme vous achetez un logiciel pour votre micro aujourd'hui.

Si la résolution est une variable importante, il vaudrait mieux concevoir un système modulable et non prisonnier du nombre de lignes que vous pouvez afficher aisément aujourd'hui. Les 1 125 ou 1 250 lignes dont on parle n'ont rien de nombres magiques. Il se trouve simplement qu'ils sont proches du maximum de lignes affichables actuellement avec un tube cathodique. En fait, la définition de l'image des ingénieurs TV est dépassée.

Auparavant, plus les écrans devenaient gros, plus le spectateur s'en éloignait, pour finir sur le fameux canapé. En moyenne, le nombre de lignes au millimètre qui atteignait la rétine du spectateur était plus ou moins constant.

Puis, vers 1980, les choses ont brutalement changé, et les gens ont quitté leur canapé pour s'installer à leur bureau, à cinquante centimètres de la machine. De ce fait, il n'est plus possible de penser en termes de définition (nombre de lignes par image) comme nous l'avons toujours fait pour les postes de TV, mais en termes de résolution, c'est-à-dire de lignes par pouce, comme nous le faisons avec le papier ou les affichages informatiques modernes (le centre de recherches PARC *(Palo Alto Research Center)* de Xerox a le mérite d'être le premier à réfléchir en termes de lignes par pouce). Plus l'écran est grand, plus il faut de lignes. En fin de compte, quand nous saurons fabriquer des affichages plats, nous serons capables de proposer des images avec une résolution de 10 000 lignes. Limiter notre réflexion aujourd'hui à un millier, c'est avoir les idées courtes.

Pour réussir une haute résolution massive demain, il faut commencer par rendre le système modulable, ce qui est exactement ce qu'aucun des défenseurs de systèmes de TV numérique ne propose à l'heure actuelle. Bizarre.

La télévision-péage

Tous les fabricants de matériel et de logiciel font la cour à l'industrie du câble ; Microsoft, Silicon Graphics, Intel, IBM, Apple, DEC et Hewlett-Packard ont tous conclu des accords importants avec l'industrie du câble.

L'objet de cette agitation est le boîtier intelligent ou décodeur qui est destiné à être bien plus que le bouton de réglage auquel il se résume actuellement. Au train où vont les choses, nous ne tarderons pas à voir autant de types de boîtiers que de versions de télécommandes à infrarouge (une pour le câble, une pour le satellite, une pour le téléphone, une pour chaque transmission UFV, etc.). Une telle prolifération de boîtiers incompatibles est une perspective horrible.

Ce boîtier suscite de l'intérêt du fait de sa fonction potentielle de porte qui permettrait à celui qui « fournit » ce boîtier et son interface de devenir une sorte de portier faisant payer des droits onéreux à l'information qui arrive chez vous par ce biais. Cela a tout d'une affaire juteuse, mais il n'est pas clair que ce soit dans l'intérêt du public. Plus grave encore, sur le plan technique, un boîtier ne va pas très loin et ne vise pas le bon objectif. Il serait temps que l'on s'intéresse à des applications plus générales et moins ciblées.

Le mot « boîtier » est porteur de toutes les mauvaises connotations, mais voici la théorie : notre appétit insatiable pour la largeur de bande met à l'heure actuelle la télévision par câble au premier plan parce que c'est elle qui apporte en large bande des services d'information et de spectacle. Les services par câble actuels prévoient des boîtiers parce que seule une fraction des récepteurs TV est équipée pour le câble. Puisque ce boîtier existe et est accepté, l'idée est simplement de lui donner des fonctions supplémentaires.

Quel est le défaut de ce projet ? C'est fort simple. Même les spécialistes les plus conservateurs de la diffusion s'accordent pour dire que la différence entre une télévision et un ordinateur va finir par se limiter aux périphériques et à la pièce de la maison qui l'abrite. Néanmoins, cela se produira peut-être moins tôt qu'on ne le croit, non seulement à cause des pulsions monopolistiques de l'industrie du câble, mais aussi à cause de la nouvelle capacité d'un boîtier de donner accès à un millier de programmes, dont on n'en regarde pas 999 (par définition). Dans le champ lucratif de la fabrication de la télévision numérique, l'ordinateur vient d'être battu par KO au premier round.

Mais il va connaître un retour triomphal.

La télévision-ordinateur

Je demande souvent à ceux que je rencontre s'ils ont lu *The Soul of a New Machine*, le livre de Tracy Kidder, et, si c'est le cas, s'ils se souviennent du nom de l'entreprise d'informatique en question. Personne n'a encore jamais été capable de me le dire. Data General (c'est d'elle qu'il s'agit), Wang et Prime, jadis des entreprises avec le vent en poupe, méprisaient totalement les systèmes ouverts. Je me souviens de conseils d'administration où l'on affirmait que les systèmes « propriétaires » constitueraient un grand avantage concurrentiel. Si vous pouviez fabriquer un système à la fois populaire et unique, vous aviez le moyen de fermer la porte à la concurrence. Bien qu'apparemment logique, c'est un raisonnement complètement faux, et voilà pourquoi ces trois entreprises et bien d'autres ne sont plus que les ombres d'elles-mêmes. C'est aussi pour cette raison qu'Apple modifie actuellement sa stratégie.

Les « systèmes ouverts » sont un concept vital, de nature à dynamiser notre économie, par opposition aux systèmes « propriétaires » et aux monopoles. C'est aussi un concept gagnant. Dans un système ouvert, on se mesure à la concurrence avec son imagination, non pas avec un verrou et une clé. Non seulement cela favorise la prolifération des entreprises, mais cela permet au consommateur de bénéficier d'un plus grand choix et cela donne au marché la souplesse nécessaire pour s'adapter et croître rapidement. Un système véritablement ouvert n'est pas protégé et peut servir de tremplin à tout le monde.

Les micro-ordinateurs connaissent une croissance tellement rapide que la future télévision d'architecture ouverte est le micro, point. Le boîtier sera une carte d'extension de la taille d'une carte de crédit qui transformera votre micro en une porte électronique pour le câble, le téléphone ou le satellite. En d'autres termes, à l'avenir, l'industrie du téléviseur sera remplacée par une industrie de l'ordinateur : des écrans avec des tonnes de mémoire et une puissance de traitement énorme. Il est fort probable que vous regarderez ces produits de l'informatique à une distance de trois mètres plutôt qu'à une distance de cinquante centimètres, que vous serez plutôt en groupe que seul devant, mais ce seront toujours des ordinateurs.

Cela tient au fait que les ordinateurs sont de plus en plus adaptés à la vidéo, équipés pour traiter et afficher la vidéo. Pour la téléconférence, les publications multimédias et une masse d'applications de simulation, la vidéo devient un élément de tous les ordinateurs, et pas seulement de nombre d'entre eux. C'est tellement rapide qu'à l'allure d'escargot à laquelle elle se développe, la télévision, bien que numérique, sera éclipsée par le micro.

On a, par exemple, synchronisé le développement de la TVHD avec les jeux Olympiques, en partie pour s'assurer une publicité internationale et en partie pour la montrer sous un de ses aspects les plus crédibles : la retransmission d'événements sportifs. Sur un écran de télévision normal, il est parfois difficile de voir le palet dans un match de hockey. Le Japon s'est donc servi des Jeux de Séoul en 1988 pour lancer la Hi-Vision, et les Européens ont lancé le HD-MAC aux Jeux d'Albertville en 1992 (pour l'abandonner moins d'un an plus tard).

Les acteurs américains de la TVHD se sont fixé l'été 1996, l'époque des Jeux d'Atlanta, pour présenter leur nouveau système TVHD numérique à architecture fermée. Ce sera bien trop tard à ce moment-là, et la TVHD sera mort-née. À ce moment-là, personne ne s'en souciera, et il est fort probable que 20 millions au moins d'Américains regarderont la chaîne de télévision NBC dans une fenêtre située dans le coin supérieur gauche de l'écran de leur micro. Intel, société de microprocesseurs, et CNN annoncent la sortie d'un tel service en octobre 1994.

Le marché de la bitdiffusion

Il faut cesser de penser à la télévision en termes de télévision, si on veut qu'elle ait un avenir. Il faut y penser en termes de bits. Les films, eux aussi, ne sont rien d'autre qu'un cas particulier de diffusion de données. Les bits sont des bits.

Non seulement les informations de 20 heures pourront vous être livrées quand vous le voudrez, mais elles pourront être adaptées à vos besoins, et vous pourrez y accéder de manière sélective. Si vous avez envie de voir un vieux Bogart à 20 h 30, la compagnie de téléphone pourra vous l'envoyer sur sa paire torsadée. Un jour ou l'autre, quand vous regarderez un match de base-ball, vous pourrez le voir de n'importe quelle place du stade, voire du point de vue de la balle. Voilà le genre de changements que propose le numérique, au lieu de vous proposer l'éternel feuilleton à deux fois la résolution d'aujourd'hui.

La télévision numérique foisonnera de nouveaux bits — ceux qui vous informent sur les autres. Ces bits pourront être de simples en-têtes vous informant de la résolution, de la fréquence de balayage et du rapport largeur/hauteur, afin de permettre à votre TV de traiter et d'afficher le signal du mieux possible. Ces bits pourront être l'algorithme de décodage qui vous permettra de lire un signal étrange ou crypté en l'associant au code-barre d'une boîte de corn-flakes. Les bits pourront être l'une d'une douzaine de pistes sonores qui vous permettront de regarder un film étranger dans votre propre langue. Ces bits pourront être les données contrôlant un bouton qui vous permettra de transformer un matériau classé X en un film interdit aux moins de 12 ans (ou l'inverse). Le poste de télévision d'aujourd'hui vous permet de contrôler la luminosité, le volume et les chaînes. Celui de demain vous permettra de modifier le contenu, qu'il s'agisse de sexe, de violence ou de tendances politiques.

À l'exception des événements sportifs et des

résultats d'élections, la plupart des programmes de télévision n'ont pas besoin d'être diffusés en temps réel, détail essentiel pour la télévision numérique que la plupart des gens ignorent. Cela veut dire que la télévision est en grande partie comparable au téléchargement pour un ordinateur. Les bits sont transférés à un rythme qui n'a aucune incidence sur la manière dont ils seront regardés. Une fois dans la machine, il n'est pas nécessaire de les regarder dans l'ordre dans lequel ils ont été envoyés. Tout à coup, la TV devient un média d'accès sélectif, plus proche du livre ou du journal, que l'on peut feuilleter et modifier, sans plus dépendre de l'heure ou du jour, ou du temps nécessaire pour la livraison.

Une fois que l'on cesse de penser à l'avenir de la télévision exclusivement en termes de haute définition et qu'on commence à le construire sous sa forme plus globale, c'est-à-dire la diffusion de bits, la TV devient un média totalement différent. Nous commencerons alors à voir de nombreuses nouvelles applications créatives et séduisantes sur l'autoroute de l'information. À moins, bien sûr, que la police des bits ne nous en empêche.

4.

La police des bits

Le droit d'émettre des bits

L'information et le spectacle peuvent arriver dans le foyer par cinq canaux : le satellite, l'émission terrestre, le câble, le téléphone et les supports conditionnés (c'est-à-dire des atomes, comme des cassettes, des CD et de l'imprimé). La FCC défend les intérêts du grand public en réglementant certains de ces canaux et une partie du contenu de l'information qu'ils véhiculent. Elle n'a pas la tâche facile, parce qu'elle se retrouve souvent en porte-à-faux entre la protection et la liberté, le public et le privé, la libre concurrence et les monopoles.

L'un des soucis majeurs de la FCC est le spectre de fréquences utilisé pour les communications sans fil. On estime que le spectre appartient à tout le monde et qu'il devrait être utilisé de façon équitable, compétitive, sans intervention extérieure, et être le plus enrichissant possible pour le public américain. C'est logique car, sans une telle surveillance, les signaux de télévision, par exemple, pourraient entrer en collision avec le téléphone cellulaire, ou la radio, causer des interférences sur la VHF maritime. L'autoroute du ciel a effectivement besoin d'une dose de contrôle aérien.

Récemment, on a vendu fort cher aux enchères certaines fréquences pour le téléphone cellulaire et la vidéo interactive. On en distribue gratuitement d'autres parce qu'elles sont censées servir l'intérêt public. C'est le cas de la télévision commerciale, qui est « gratuite » pour le spectateur. En fait, on la finance en achetant une boîte de lessive ou tout autre produit vanté par la publicité.

La FCC a proposé d'accorder aux diffuseurs de télévision existants une « voie » supplémentaire, c'est-à-dire 6 MHz (mégahertz) de spectre gratuit pour la TVHD, à condition qu'ils rendent avant quinze ans le spectre, également de 6 MHz, qu'ils utilisent actuellement. En d'autres termes, les diffuseurs en place bénéficieraient de 12 MHz pendant quinze ans. L'idée, qui peut encore évoluer, est de créer une période de transition pour permettre à la télévision actuelle de devenir celle de demain. Ce concept tenait parfaitement debout il y a six ans, quand on le considérait comme un moyen de passer du monde analogique à un autre. Mais voilà que tout à coup la TVHD est numérique. Nous savons à présent comment délivrer 20 millions de bits par seconde dans un canal de 6 MHz, si bien que toutes les règles risquent de changer du jour au lendemain, et, dans certains cas, de manière très inattendue.

Imaginez que vous soyez propriétaire d'une chaîne de télévision et que la FCC vous accorde le droit d'émettre 20 millions de bits par seconde. On vous donne ainsi l'autorisation de devenir un épicentre local dans l'émission de bits. En principe, ce sont des bits de télévision, mais qu'allez-vous vraiment en faire ?

Soyez honnête. Vous vous garderiez bien d'émettre de la TVHD parce que les programmes sont aussi rares que ceux qui peuvent les recevoir. Si vous êtes un peu astucieux, vous allez probablement vous rendre compte que vous pourriez émettre quatre chaînes de télévision numérique de qualité studio (de 5 millions de bits par seconde chacune), augmentant d'autant votre part d'audience et vos recettes publicitaires potentielles. En réfléchissant encore un peu, vous pourriez décider à la place d'émettre trois chaînes de télévision, utilisant 15 millions de bits par seconde, et de consacrer les 5 millions restants à deux signaux radio numériques, un système d'émission de données boursières et un service de téléappel.

La nuit, aux heures où peu de gens sont devant leur poste de télévision, vous pourriez utiliser une grande partie de votre attribution pour envoyer des bits de journaux personnalisés destinés à être imprimés à domicile. Ou encore, le samedi, vous pourriez décider que la résolution prime (disons, pour un match de football) et consacrer 15 millions de vos 20 millions de bits à une transmission haute définition. Vous pourriez littéralement être votre propre FCC pour ces 6 MHz ou ces 20 millions de bits, en les répartissant comme et quand bon vous semble.

Ce n'est pas ce que la FCC avait initialement à l'esprit quand elle a recommandé de répartir le nouveau spectre de TVHD entre des diffuseurs existants à des fins de transition. Les groupes qui rêvent d'entrer dans le marché de la diffusion de bits vont hurler au scandale quand ils vont se rendre compte que les chaînes de télévision actuelles ont vu leur spectre doubler et leur capacité d'émission augmenter de 400 %, sans bourse délier, pour les quinze années à venir !

Est-ce à dire que nous devrions envoyer la police des bits pour s'assurer que ce nouveau spectre et la totalité de ses 20 millions de bits par seconde servent exclusivement à la TVHD ? J'espère bien que non.

Les bits du changement

Au temps de l'analogique, répartir le spectre de fréquences était une tâche bien plus simple pour la FCC. Elle pouvait diviser le spectre en parties distinctes et dire : ça, c'est pour la télévision, ça, c'est pour la radio, ça, c'est pour le téléphone cellulaire, etc. Chaque morceau de spectre était un média d'émission ou de communication particulier avec ses propres caractéristiques et anomalies de transmission, visant un objectif bien précis. Mais dans un monde numérique, ces différences s'estompent, voire disparaissent dans certains cas : ce ne sont jamais que des bits. Il peut y avoir des bits radio, des bits TV, ou des bits de communications maritimes, mais ce sont néanmoins des bits, sujets aux mêmes mélange et multi-usage qui sont la définition même des multimédias.

La télévision va connaître un changement tellement phénoménal au cours des cinq prochaines années qu'il est difficile de comprendre ce que cela représente. On a du mal à imaginer que la FCC pourra ou voudra réglementer les bits en exigeant, par exemple, que des quotas de bits soient utilisés pour la TVHD, la TV normale, la radio, etc. Le marché est assurément un bien meilleur régulateur. Vous n'utiliseriez pas la totalité de vos 20 millions de bits par seconde pour la radio s'ils rapportaient plus en TV ou en données. Vous vous surprendriez à en modifier la répartition selon le jour, l'heure, la nature du contenu à transmettre. Il faut savoir s'adapter aux circonstances, et les plus rapides à réagir et à faire l'usage le plus imaginatif de leurs bits seront ceux qui répondront au mieux aux besoins du public.

Dans un proche avenir, les diffuseurs affecteront des bits à un média particulier (comme la TV ou la radio) à la source de transmission. C'est généralement ce que les gens veulent dire quand ils parlent de convergence numérique ou d'émission de bits. Le diffuseur dit au récepteur : voilà des bits TV, des bits radio, ou des bits du *Wall Street Journal.*

Dans un avenir plus lointain, les bits ne seront pas destinés à un média spécifique quand ils quitteront l'émetteur.

Prenez le bulletin météo, par exemple. Au lieu de diffuser le spécialiste de la météo entouré de ses fameux graphiques et cartes, imaginez que l'on envoie une modélisation du temps. Ces bits arrivent dans votre ordinateur-TV, et vous, à l'extrémité réception, vous les traitez implicitement ou explicitement pour les transformer en un bulletin parlé avec les intonations voulues, une carte imprimée ou un dessin animé.

Le poste de télévision intelligent s'adaptera à votre bon plaisir, en tenant peut-être même compte de votre état d'esprit ou de votre humeur du moment. En l'occurrence, l'émetteur émet des bits sans savoir ce qu'ils deviendront : de l'image, du son ou une sortie imprimée. C'est vous qui décidez. Les bits quittent la station sous la forme de bits à utiliser et à transformer de multiples manières, personnalisés par une diversité de programmes informatiques et archivés ou non, selon vos souhaits.

Selon ce scénario, on émet des bits et des données, et on est loin du genre de réglementation que l'on connaît aujourd'hui, qui part du principe que l'émetteur sait qu'un signal est de la TV, de la radio, ou des données.

De nombreux lecteurs ont peut-être pensé que, par police des bits, j'entendais censure du contenu. Loin de moi cette idée ! Le consommateur censurera en disant au récepteur quels bits sélectionner. Par habitude, la police des bits va chercher à contrôler le média lui-même, ce qui n'a vraiment aucun sens. Le problème, purement politique, est que l'allocation TVHD proposée a l'air d'une subvention. La FCC n'avait pas du tout l'intention de créer une manne, mais les groupes de pression vont hurler parce que les riches de la largeur de bande vont encore s'enrichir.

Je pense que la FCC est trop intelligente pour vouloir jouer la police des bits. Son rôle est de s'assurer que les programmes d'information et de spectacle se multiplient dans l'intérêt général. Il est tout simplement impossible de restreindre la liberté d'émettre des bits, pas plus que les Romains n'ont pu arrêter la progression du christianisme, même si quelques courageux diffuseurs d'information risquent de se faire dévorer par les lions de Washington dans le processus.

Propriété croisée

Prenez un journal moderne. Les journalistes rédigent leurs articles sur ordinateur, et les envoient souvent par courrier électronique. Les photos sont numérisées et également transmises par fil. La maquette de la page d'un journal moderne est faite à l'aide de la PAO, qui prépare les données au transfert sur film ou à la gravure directe sur plaques. En d'autres termes, la totalité de la conception et de la construction d'un journal est numérique, du début à la fin, jusqu'à la toute dernière étape, l'instant où l'on coule de l'encre sur des arbres morts. C'est à cette étape que les bits deviennent des atomes.

Imaginez maintenant que la dernière étape ne se produise pas dans une imprimerie, mais que ces bits vous soient livrés sous la forme de bits. Vous pouvez choisir de les imprimer chez vous pour garder une trace écrite parce que c'est pratique (à condition de se servir de papier réutilisable pour éviter de crouler sous les stocks de feuilles). Ou vous pouvez préférer les transférer dans votre portable, votre ordinateur de poche ou, un jour, dans votre écran étanche, grand format, à très haute résolution, couleur, de quelques centimètres d'épaisseur (qui, par le plus grand hasard, ressemble trait pour trait à une feuille de papier dont il a l'odeur, si c'est ce qui vous plaît). Il y a bien des manières de vous faire parvenir des bits, mais l'émission en est assurément une. L'émetteur télévision peut vous envoyer des bits de journal.

Oh ! Oh ! Aux États-Unis, il existe une loi contre le cumul : vous ne pouvez pas être à la fois propriétaire d'un journal et d'une chaîne de télévision au même endroit. Au temps de l'analogique, pour lutter contre les monopoles et garantir la pluralité et la multiplicité des voix, il suffisait de resteindre la propriété à un seul média, dans une ville donnée. Diversité des médias était synonyme de diversité du contenu. Le propriétaire du journal local ne pouvait pas être le propriétaire de la chaîne de télévision, et vice versa.

En 1987, les sénateurs Kennedy et Hollings ont ajouté un article de dernière minute à une décision budgétaire afin d'empêcher la FCC d'être trop prodigue en matière de dérogations à l'interdiction du cumul de propriété. Ils visaient Rupert Murdoch qui avait acheté un journal à Boston où il était déjà propriétaire d'une station radio locale. La loi dite du rayon laser visant Murdoch a été annulée par les tribunaux quelques mois plus tard, mais l'interdiction faite par le Congrès à la FCC de modifier ou d'annuler les lois condamnant le cumul de propriété demeure.

Pourquoi devrait-il être illégal d'être propriétaire d'un bit de journal et d'un bit de télévision au même endroit ? Et si le bit de journal est une élaboration d'un bit de TV dans un système d'information multimédia complexe et personnalisé ? Le consommateur a tout à gagner si les bits se mélangent et si l'information propose plusieurs niveaux de contenu et de qualité d'affichage. Si les lois régissant actuellement le cumul de propriété demeurent, cela ne prive-t-il pas le citoyen américain de l'environnement d'information le plus riche possible ? Nous nous escroquons nous-mêmes d'une manière grotesque si nous interdisons à certains bits de se mêler à d'autres.

Pour garantir la pluralité, peut-être faut-il moins de législation qu'on ne le croit, parce que les empires monolithiques des mass media sont en train de se transformer en une multitude d'industries artisanales. Plus nous nous connectons et plus nous échangeons de bits au lieu d'atomes, moins les imprimeurs ont de pouvoir. Ce ne sera bientôt même plus la peine d'avoir à sa disposition une équipe dévouée de reporters dans le monde entier quand de talentueux écrivains indépendants auront un moyen électronique de vous toucher chez vous.

Les barons des médias auront intérêt à s'accrocher pour préserver leurs empires centralisés. Je suis convaincu qu'en 2005 les Américains passeront plus d'heures sur Internet (ou sur un autre réseau) que devant leur poste de télévision. À la longue, les forces combinées de la technologie et de la nature humaine auront plus d'influence sur la pluralité que n'importe quelle loi concoctée par le Congrès. Mais si je me trompe en ce qui concerne le long terme et la période de transition à court terme, la FCC ferait bien de trouver un moyen imaginatif de remplacer les lois contre le cumul de propriété de l'âge industriel par des mesures d'incitation et de réglementation pour le passage au numérique.

Faut-il protéger les bits ?

La loi du copyright est complètement dépassée. C'est une création de Gutenberg. Comme c'est un procédé réactif, il va vraisemblablement falloir qu'il s'effondre complètement avant qu'on ait une chance de le corriger.

Quand on s'inquiète du copyright, on pense surtout à la facilité de la photocopie. Dans le monde numérique, non seulement le problème de la facilité se pose, mais aussi le fait que la copie numérique est aussi parfaite que l'original, voire meilleure avec un peu de traitement. Comme on peut corriger les erreurs de chaînes de bits, on peut nettoyer une copie, l'améliorer et en supprimer le bruit. Le résultat est impeccable. C'est un fait bien connu de l'industrie musicale, et cela a été la cause du retard de lancement de plusieurs produits électroniques grand public, comme les cassettes DAT *(Digital Audio Tape)*. Peut-être est-ce absurde, parce que la reproduction illégale fait apparemment rage même quand les copies sont loin d'être impeccables. Dans certains pays, quelque 95 % des vidéocassettes vendues sont piratées.

Le problème du copyright est abordé d'une manière radicalement différente selon les médias. La musique fait l'objet d'une attention internationale considérable, et les créateurs qui écrivent des mélodies, des paroles et des notes touchent des droits pendant des années. L'air de *Happy Birthday* est dans le domaine public, mais si vous voulez utiliser les paroles dans un film, vous devez verser des royalties à Warner/Chappell. Ce n'est pas très logique, mais cela fait néanmoins partie d'un système complexe de protection des compositeurs et des interprètes de musique.

En revanche, un peintre dit plus ou moins adieu à un tableau le jour où il le vend. Il serait impensable de faire payer chaque vision d'une œuvre. En revanche, dans certains pays, il est encore parfaitement légal de découper le tableau en petits morceaux pour les revendre, ou encore de le reproduire sur un tapis ou une serviette de bain sans l'autorisation de l'artiste. Aux États-Unis, il a fallu attendre 1990 pour qu'on se décide à voter une loi empêchant ce genre de mutilation. Même dans le monde analogique, le système de protection n'existe pas depuis longtemps ou n'est pas très équitable.

Dans le monde numérique, le problème ne se pose pas en termes de facilité ou de fidélité de la copie. Nous allons voir apparaître un nouveau type de fraude, qui ne sera même pas forcément de la fraude. Mettons que j'apprenne quelque chose par Internet et que j'aie envie d'en envoyer une copie à quelqu'un d'autre ou à une liste de gens, comme je le ferais avec une coupure de journal. Cela paraît inoffensif. Mais, par la seule pression de quelques touches, je pourrais transmettre ce matériau à des milliers de gens dans la planète entière (contrairement à une coupure de journal). On n'envoie pas une coupure de bits comme une coupure d'atomes.

Selon l'économie irrationnelle de l'Internet d'aujourd'hui, il coûte exactement 0 franc de faire ce que je viens de dire. Personne ne sait très bien qui paie quoi sur Internet, et le réseau paraît gratuit à la plupart des utilisateurs. Même si cela change à l'avenir et que l'on applique un système économique rationnel à Internet, il en coûtera peut-être un ou deux centimes de distribuer un million de bits à un million de gens. Le prix n'aura rien à voir avec celui d'un envoi par la poste, tarif fondé sur le transport d'atomes.

En outre, les programmes informatiques, plus seulement les gens, vont lire du matériau comme ce livre et en faire, par exemple, des résumés automatiques. Selon la loi du copyright, si vous résumez un texte, ce résumé est votre propriété intellectuelle. Je doute que les législateurs aient jamais envisagé que le résumé soit l'œuvre d'une entité inanimée ou de robots-pirates.

Contrairement aux brevets qui, aux États-Unis, dépendent d'un service gouvernemental (ministère du Commerce, donc exécutif) entièrement différent de celui qui régit les copyrights (Librairie du Congrès, donc législatif), les copyrights protègent l'expression et la forme d'une idée, par opposition à l'idée elle-même. Parfait.

Mais que se passe-t-il quand nous transmettons des bits qui sont, au vrai sens du terme, sans forme, comme le bulletin météorologique mentionné plus haut ? Je serais bien en peine de dire si une modélisation de la météo est une expression de celle-ci. En fait, il vaudrait mieux dire qu'une modélisation des conditions météo en est une simulation et est donc aussi proche de la réalité qu'on peut l'imaginer. Sans aucun doute, la « réalité » n'est pas une expression d'elle-même mais existe en soi.

Un bulletin météo peut s'exprimer sous la forme d'une voix qui le lit avec les intonations voulues, d'un diagramme animé qui le « montre » avec couleurs et mouvement, ou d'une simple sortie papier qui le « décrit » sous l'aspect d'une carte illustrée et annotée. Ces diverses expressions ne se trouvent pas dans les données, mais en sont des incarnations fabriquées par une machine presque (ou vraiment) intelligente. En outre, ces différentes incarnations peuvent être un reflet de vous-même et de vos goûts en matière d'expression, par opposition à celles d'un spécialiste local, national ou international de la météo. Il n'y a rien à protéger par un copyright à la source d'émission.

Prenez le marché boursier. Les fluctuations minute par minute des prix des actions peuvent être réunies de différentes façons. On ne peut pas parler de droit de copyright pour la masse de données, pas plus que pour le contenu de l'annuaire téléphonique. En revanche, un commentaire sur la performance d'une action ou d'un groupe d'actions peut tomber sous le coup de la loi du copyright. Ce phénomène sera de plus en plus le fait de celui qui reçoit, et non plus de celui qui émet, ce qui complique encore le problème de la protection.

Dans quelle mesure peut-on étendre la notion de données intangibles à un matériel moins prosaïque ? À un bulletin d'information (possible) ou à un roman (plus difficile à imaginer) ? Quand les bits nous arriveront sous la forme de bits, des problèmes entièrement nouveaux vont se poser, au-delà du problème classique du piratage.

Le média a cessé d'être le message.

5.

Des cocktails de bits

Recyclons Madonna

En un an, une ancienne *cheerleader* [1] de trente-quatre ans, originaire du Michigan, a généré des ventes dépassant 1,2 milliard de dollars. Ce fait n'a pas échappé à l'attention de Time Warner qui a signé avec Madonna, puisque c'est elle, un contrat « multimédia » de 60 millions de dollars en 1992. À l'époque, j'ai sursauté en voyant qu'on utilisait ce terme de « multimédia » pour décrire un ensemble hétéroclite d'imprimés traditionnels, de disques et de productions cinématographiques. Depuis, je vois ce mot pratiquement tous les jours dans le *Wall Street Journal*, utilisé le plus souvent comme un adjectif pour désigner tout et n'importe quoi, d'interactif à numérique en passant par bande large. J'ai même vu le titre suivant : « Les disquaires cèdent le pas devant les magasins multimédias ». C'est à croire que si vous êtes

---

1. Meneuse des supporters féminines des équipes sportives d'une université. Les *cheerleaders* sont en général de jolies filles dynamiques et sociables.

dans l'industrie de l'information et du spectacle et que vous n'ayez pas l'intention d'entrer sur le marché du multimédia, vous vous condamnez à plus ou moins brève échéance à mettre la clé sous la porte. De quoi s'agit-il donc ?

Il s'agit à la fois d'un nouveau contenu et d'un regard différent sur l'ancien. Il s'agit de médias intrinsèquement interactifs, chose que permet la lingua franca numérique des bits. Et il s'agit de coûts en baisse, d'une puissance accrue, et de l'explosion de la présence des ordinateurs.

Cette tendance est encore accentuée par les compagnies médiatiques qui se démènent pour vendre et revendre le maximum de leurs vieux bits, dont ceux de Madonna (qui partent comme des petits pains). Cela signifie non seulement que l'on réutilise des discothèques et des filmothèques mais aussi que l'on fait un usage étendu de l'audio et de la vidéo, mélangés à des données, pour autant de fins possibles, sous des emballages multiples et par le biais de canaux différents. Les compagnies médiatiques sont bien décidées à recycler leurs bits en déboursant le moins possible et en empochant le plus possible.

Si une demi-heure de sitcom coûte un demi-million de dollars à CBS ou à la Fox, il n'est pas bien sorcier de conclure que l'on va pouvoir réexploiter avec profit des archives contenant, disons, dix mille heures de film. Si l'on évalue raisonnablement les anciens bits à 1/50 du coût des nouveaux, cela veut dire que des archives de ce genre valent quelque 200 millions de dollars. Pas mal.

On recycle chaque fois que naît un nouveau média.

Le cinéma a réadapté des pièces de théâtre, la radio rediffusé des récitals, et la TV repris des films. Comment s'étonner alors que Hollywood s'emploie à recycler ses archives vidéo ou à les associer à de la musique et du texte ? L'ennui, c'est que le matériau multimédia original est encore assez rare.

Les services d'information et de spectacle véritablement en position d'exploiter et de définir le nouveau multimédia doivent encore se développer et ont besoin d'une période de gestation suffisamment longue pour supporter et les succès et les échecs. Par conséquent, les produits multimédias actuels sont pareils à des nouveau-nés dotés de bons gènes, mais qui n'ont pas atteint un stade de développement suffisant pour avoir une personnalité bien marquée et un physique robuste. La plupart des applications multimédias actuelles sont un peu anémiques, elles sentent plus l'opportunisme qu'autre chose. Mais nous apprenons vite.

Nous savons par expérience que la période d'incubation d'un nouveau média peut être assez longue. Il a fallu attendre de nombreuses années pour que l'on songe à déplacer une caméra de cinéma, au lieu de se contenter de laisser les acteurs bouger devant elle. Il a fallu trente-deux ans pour ajouter du son. Progressivement, des douzaines de nouvelles idées sont venues constituer un vocabulaire entièrement nouveau pour le film et la vidéo. Le multimédia va connaître le même phénomène. Tant que nous n'aurons pas un ensemble solide de concepts de ce genre, nous serons condamnés à voir une masse considérable de bits d'archives régurgités. Passe encore pour les bits de *Bambi,* mais le jeu en vaut-il vraiment la chandelle quand il s'agit de ceux de *Terminator II* ?

Faire du multimédia pour enfants sous la forme de CD-ROM (c'est-à-dire sous la forme d'atomes) est une excellente idée parce qu'un gamin est tout disposé à regarder ou à écouter plusieurs fois de suite la même histoire sans jamais se lasser. En 1978, j'ai eu l'un des premiers lecteurs de vidéodisques. À l'époque, on ne trouvait qu'un titre sur le marché : *Smokey and the Bandit.* Mon fils, alors âgé de huit ans, a regardé ce film des centaines de fois, au point qu'il a découvert des raccords impossibles (Jackie Gleason d'un côté de la portière sur un plan et de l'autre au plan suivant), détail qui vous échappe à 30 images par seconde. Par la suite, dans *Les Dents de la mer,* il a réussi à repérer l'ossature du requin en faisant défiler le film image par image.

À l'époque, le terme de multimédia était synonyme de night-clubs branchés avec spots stroboscopiques, décor tape à l'œil, musique rock et lumières clignotantes. Je me rappelle que le ministère de la Défense m'a prié de supprimer le mot multimédia d'une proposition que je lui soumettais. Mes interlocuteurs au ministère craignaient que le sénateur William Proxmire ne me décerne la fameuse *Golden Fleece Award,* prix annuel couronnant les projets les plus inutilement financés par les fonds publics, avec toute la publicité négative qui allait avec. (En décembre 1979, l'*Office of Education* a eu moins de chance, puisqu'un de ses chercheurs a remporté le prix pour avoir dépensé 219 592 dollars dans la mise au point d'un programme destiné à apprendre aux lycéens à regarder la télévision.)

Lorsque nous avons montré une page de texte illustrée en couleur sur un écran d'ordinateur et que l'image s'est transformée en un film sonore à la simple pression d'une touche, notre auditoire est resté bouche bée. Certains des meilleurs titres multimédias actuels sont des reprises à très forte valeur marchande d'expériences moins achevées mais originales de cette période.

La naissance du multimédia

Dans la nuit du 3 juillet 1976, les Israéliens ont lancé un raid contre l'aéroport d'Entebbe, en Ouganda, qui leur a permis de libérer les 103 otages d'un groupe pro-palestinien auquel le dictateur Idi Amin Dada avait offert l'asile. À la fin de cette opération d'une heure, on comptait 20 à 40 victimes parmi les soldats ougandais, et les sept pirates de l'air étaient morts. Seuls un soldat israélien et trois otages avaient également perdu la vie. Le succès de l'opération a tellement impressionné l'armée américaine que l'ARPA *(Advanced Research Projects Agency)* a été priée de faire une étude sur les moyens électroniques susceptibles de donner aux commandos américains le genre d'entraînement qui avait fait le succès des Israéliens à Entebbe.

Les Israéliens avaient construit dans le désert une maquette, à l'échelle, de l'aéroport d'Entebbe (ce qui ne leur avait pas été difficile parce que leurs ingénieurs avaient dessiné l'aéroport à l'époque où les deux nations entretenaient encore des rapports diplomatiques.) Les commandos se sont alors exercés à atterrir et à décoller, ainsi qu'à simuler des assauts dans cette maquette exacte. Lorsqu'ils ont débarqué en Ouganda « pour de vrai », ils connaissaient tellement bien les lieux qu'ils s'y sont déplacés avec l'aisance des gens du cru. Simple mais génial !

Comme il n'était tout simplement pas matériellement possible de construire des maquettes à l'échelle de tous les objectifs terroristes potentiels, aéroports ou ambassades, il a fallu le faire à l'aide d'ordinateurs. Une fois de plus, il fallait nous servir de bits et non d'atomes. Mais l'infographie seule, comme celle que l'on utilise dans les simulateurs de vol, ne convenait pas. Il fallait mettre au point un système ayant le photo-réalisme d'un plateau de cinéma de Hollywood pour donner l'impression d'être sur place.

Mes collègues et moi avons proposé une solution simple. On se servait de vidéodisques pour permettre à l'utilisateur de parcourir des couloirs ou des rues, comme s'il s'y trouvait vraiment. Comme cas test, nous avons choisi Aspen dans le Colorado (au risque de décrocher la *Golden Fleece Award*), ville dont le plan et la taille étaient gérables et dont la population était suffisamment loufoque pour ne pas s'inquiéter de voir un camion vidéo parcourir ses rues pendant plusieurs semaines d'affilée, à des saisons différentes.

On a filmé chaque rue, dans les deux sens, en prenant une image tous les mètres. On a également filmé chaque tournant sous les deux angles. Avec les segments de droite des rues sur un vidéodisque et les virages sur un autre, l'ordinateur pouvait vous donner une expérience de conduite uniforme. Quand vous approchiez d'un carrefour sur le lecteur de disque n° 1, le lecteur de disque n° 2 se plaçait à ce carrefour, et si vous décidiez de tourner à gauche ou à droite, il vous montrait le tournant. Pendant ce temps-là, le lecteur n°1 avait le temps de rechercher le segment de droite de rue dans lequel vous vous étiez engagé et, une fois de plus, le lisait, au moment où vous sortiez du virage pour vous engager dans cette nouvelle rue.

En 1978, le projet Aspen était de la pure magie. On pouvait regarder par la vitre de sa portière, s'arrêter devant un immeuble (comme le commissariat de police), y entrer, discuter avec le commissaire, programmer différentes saisons, voir des immeubles tels qu'ils étaient quarante ans plus tôt, faire une visite guidée, survoler des cartes en hélicoptère, animer la ville, entrer dans un bar, et laisser derrière soi un fil d'Ariane pour retrouver son point de départ. Le multimédia était né.

Le projet a rencontré un tel succès que l'armée a fait construire des prototypes dans l'idée de protéger des aéroports et des ambassades d'attaques terroristes. L'ironie a voulu que l'un des premiers sites commandés soit Téhéran. Malheureusement, le prototype n'a pas été terminé à temps.

Les Betamax des années 90

Aujourd'hui, l'offre multimédia se compose surtout de produits de consommation qui, sous la forme de

CD-ROM, sont connus de la plupart des enfants âgés de 5 à 10 ans, ainsi que d'un nombre croissant d'adultes. En 1994, plus de 2 000 titres de CD-ROM étaient disponibles aux États-Unis pour Noël. On estime le parc mondial actuel des CD-ROM, tous types confondus, à plus de 10 000. En 1995, pratiquement tous les ordinateurs seront dotés d'un lecteur de CD-ROM.

Un CD utilisé comme mémoire morte (ROM : *Read Only Memory* : mémoire morte) peut contenir 5 milliards de bits (sur une seule face, parce que c'est plus facile à fabriquer). Cette capacité passera à 50 milliards de bits sur une face d'ici deux ans. En attendant, 5 milliards de bits est déjà considérable, quand on sait qu'un numéro du *Wall Street Journal* en contient approximativement 10 millions (un CD-ROM peut donc contenir environ deux ans de publication). En d'autres termes, un CD-ROM représente environ 100 classiques ou cinq ans de lecture, même pour ceux qui consomment deux romans par semaine.

Pour la vidéo, ce chiffre de 5 milliards de bits paraît déjà moins énorme, quand on sait que cela ne représente qu'une heure de vidéo compressée. À cet égard, c'est au mieux un format modeste. Par conséquent, à court terme, les titres sur CD-ROM vont vraisemblablement utiliser une grande quantité de texte — ce qui est économiquement sage du point de vue du bit —, de nombreuses images fixes, un peu de son, et seulement des bribes de vidéo animée. Les CD-ROM risquent donc de nous inciter à lire davantage, pas moins, voilà l'ironie de la chose.

À plus long terme, le multimédia ne nous parviendra plus sur ce bout de plastique renfermant 5 ou 50 milliards de bits qu'est un CD-ROM, mais se développera à partir de la masse croissante de systèmes interactifs à la capacité effectivement infinie. Louis Rossetto, le fondateur de *Wired,* appelle les CD-ROM le « Betamax des années 90 », par allusion à la norme vidéo à présent défunte. Il a certainement raison de dire qu'à long terme le multimédia sera avant tout un phénomène interactif. Si, économiquement parlant, la connexion à un réseau et la possession d'un CD-ROM n'ont rien à voir, avec un accès en bande large, cela fonctionnera de la même manière.

Quoi qu'il en soit, nous sommes en train de vivre une révolution sur le plan éditorial parce que nous ne sommes plus obligés de choisir entre la précision et l'encombrement. Vous achetez une encyclopédie, un atlas, ou un livre sur le règne animal pour avoir un aperçu général et vaste de nombreux sujets divers. En revanche, quand vous achetez un livre sur Guillaume Tell, les îles Aléoutiennes, ou les kangourous, vous attendez une étude approfondie du personnage, du lieu ou de l'animal. Dans le monde des atomes, les limites physiques ne permettent pas d'avoir les deux dans le même volume — à moins que le livre ne fasse un kilomètre d'épaisseur.

Dans le monde numérique, il n'est plus nécessaire de choisir, et on peut penser que les lecteurs et les auteurs navigueront plus librement entre le général et le particulier. En fait, la notion du « dites-m'en plus » est typiquement du domaine du multimédia et à la racine de l'hypermédia.

Des livres sans pages

L'hypermédia est une extension de l'hypertexte, terme qui désigne un récit hautement interconnecté, ou information liée. L'idée est née des premières expériences de Douglas Englebart à l'Institut de recherche de Stanford et tire son nom de travaux menés par Ted Nelson à l'université Brown vers 1965. Dans un livre imprimé, les phrases, les paragraphes, les pages et les chapitres se suivent selon un ordre déterminé non seulement par l'auteur mais aussi par la structure physique du livre lui-même. Vous pouvez ouvrir un livre à n'importe quelle page, mais il n'en reste pas moins que sa forme restera éternellement fixée par les contraintes de trois dimensions physiques.

Dans le monde numérique, ces contraintes disparaissent. L'espace de l'information ne se limite en aucun cas à trois dimensions. L'expression d'une idée ou d'une réflexion peut inclure un réseau multidimensionnel de pointeurs indiquant des précisions ou des arguments que l'on peut soit appeler, soit ignorer. Il faut imaginer la structure du texte comme une structure moléculaire complexe. On peut, par exemple, réorganiser des morceaux d'information, développer des phrases et donner sur-le-champ des définitions à des mots (chose qui, je l'espère, ne sera pas trop souvent nécessaire pendant la lecture de ce livre). Ces liens peuvent être ajoutés soit par l'auteur au moment de la « publication », soit ultérieurement par les lecteurs.

Imaginez l'hypermédia comme une série de messages élastiques que le lecteur peut étirer et resserrer à volonté. On peut ouvrir et analyser des idées à de multiples niveaux de détails. Le calendrier de l'Avent est le meilleur équivalent papier qui me vienne à l'esprit. Mais quand vous ouvrirez les petites portes électroniques (par opposition au papier), vous découvrirez un scénario adapté à la situation ou, comme les miroirs chez un coiffeur, une image dans une image dans une image.

L'interaction est implicite dans tout le multimédia. Si l'expérience recherchée était passive, la télévision et les films sous-titrés conviendraient à la définition de l'association de la vidéo, de l'audio et de données.

Les produits multimédias comprennent à la fois de la télévision interactive et des ordinateurs équipés pour la vidéo. Comme nous l'avons dit, la différence entre les deux est mince, va en s'amenuisant et finira par disparaître. Beaucoup de gens (notamment les parents) pensent à la « vidéo interactive » en termes de Nintendo, Sega et autres fabricants de jeux. Certains jeux électroniques sont tellement éprouvants physiquement qu'il vaut mieux enfiler un survêtement avant de s'y mettre. Toutefois, la TV du futur n'exigera pas forcément l'hyperactivité de Bip-Bip ou le physique de Jane Fonda.

Aujourd'hui, le multimédia est une expérience que l'on vit sur un bureau ou dans un salon, parce que le support de lecture n'a rien de pratique. Même les portables ne sont pas très maniables. Cela va changer de manière spectaculaire avec les moniteurs à haute résolution, flexibles, minces, lumineux et petits. Le multimédia ressemblera davantage à un livre, à un objet avec lequel vous pourrez vous glisser sous la couette pour dialoguer ou pour lui demander de vous lire une histoire. Le multimédia sera un jour aussi subtil et riche au toucher et à l'odorat que le papier et le cuir.

Le multimédia est bien plus qu'une exposition internationale privée ou un « son et lumière » de l'information, associant des morceaux immuables de vidéo, de son et de données. Passer librement de l'un à l'autre, voilà l'objectif ultime du domaine du multimédia.

La disparition du média

Le média n'est pas le message dans un monde numérique. Il en est une incarnation. Un message pourrait avoir automatiquement plusieurs incarnations à partir des mêmes données. À l'avenir, le diffuseur enverra une chaîne de bits, comme l'exemple du bulletin météo, que le receveur pourra convertir de multiples façons. Les mêmes bits pourront être vus de nombreux points de vue. Prenez l'exemple d'un événement sportif.

L'ordinateur-TV peut convertir les bits de rugby en images, en son — la voix d'un commentateur —, ou en diagrammes. Quelle que soit sa forme à l'arrivée, c'est toujours le même match et la même masse de bits. Si ces bits sont convertis exclusivement en son, cela vous oblige à imaginer l'action (mais vous pouvez conduire en même temps). Si ces bits sont convertis en images, votre imagination travaille moins, mais vous avez plus de mal à voir les tactiques de jeu (à cause des mêlées ou de la vue de gens empilés les uns sur les autres). Si les bits sont rendus sous la forme de diagrammes, la stratégie de chaque équipe devient vite évidente. Il sera vraisemblablement possible de passer de l'un à l'autre.

Prenons un autre exemple : un CD-ROM sur l'entomologie. Sa structure ressemblera davantage à un parc à thèmes qu'à un livre. Chacun pourra l'exploiter à sa façon. Peut-être vaudra-t-il mieux représenter l'anatomie d'un moustique sous la forme d'un dessin, son vol par l'animation, et son bruit (manifestement) par le son. Mais il n'est pas nécessaire que chaque incarnation soit une base de données différente ou une expérience multimédia particulière. Toutes pourraient émaner d'une seule représentation ou être transposées d'un média dans un autre.

Le multimédia, c'est passer sans difficulté d'un média à un autre, pouvoir dire la même chose de différentes façons, faire appel à un sens ou à un autre : si vous n'avez pas compris ce que j'ai dit, je (la machine) vais vous le redire sous la forme d'un dessin animé ou d'un diagramme en 3 dimensions. On pourra voir ainsi des films qui se commenteront eux-mêmes, comme des livres qui se liront à nous d'une voix douce pendant que nous nous endormons.

Les travaux de Walter Bender et de ses étudiants au Media Lab sur les « photos-résumés » représentent un pas en avant technologique récent dans ce type de transfert automatique d'un média à un autre. Voilà la question qu'ils se sont posée : comment tirer une vue fixe de plusieurs secondes de vidéo, de sorte que la résolution du résultat final soit d'un ordre de grandeur supérieur à celle de n'importe quelle image isolée ? Une seule image de vidéo 8 mm a une très faible résolution (environ deux cents lignes) par comparaison avec une diapositive en 35 mm (des milliers). Le réponse était de tirer la résolution hors du temps et de prendre pour une vue fixe différents éléments du film vidéo.

Le procédé ainsi obtenu permet de fabriquer des tirages vidéo de très haute qualité (littéralement une image Kodacolor de 3 m sur 4 m) avec une vidéo 8 mm banale. Ces vues fixes ont un excédent de cinq mille lignes de résolution. Cela signifie que des sélections des milliards d'heures de films amateurs conservés dans des boîtes à chaussures peuvent être transformées en un portrait, une carte de vœux ou imprimées pour figurer dans un album de photos avec autant sinon plus de résolution qu'une photo 24x36 normale. On peut exploiter ainsi des images diffusées sur CNN pour les imprimer en première page de votre journal ou sur la couverture de *Time,* sans craindre d'obtenir ces clichés grossiers qui donnent l'impression de voir le monde à travers une grille de ventilateur encrassée.

Une image fixe enrichie est en fait une image qui n'a jamais existé. Elle est une synthèse de plusieurs secondes de film. Pendant ce laps de temps, la caméra peut avoir fait un zoom ou un panoramique, et des objets du champ avoir bougé. L'image est néanmoins nette, sans zones floues, et d'une résolution parfaite.

97

Les contenus de la photo fixe réflètent assez bien les intentions du caméraman en mettant davantage de résolution aux endroits où la caméra a fait un zoom ou en élargissant la scène en cas de panoramique. Avec la méthode de Bender, des éléments bougeant rapidement, comme une personne traversant un plateau, s'effacent derrière les éléments provisoirement stables.

Cet exemple de « multimédia » implique le transcodage d'une dimension (le temps) dans une autre (l'espace). Plus simplement, pensez à un discours (le domaine acoustique) transcrit en imprimé (le domaine de l'écrit) avec une ponctuation indiquant les intonations. Ou encore, le scénario d'une pièce dont le dialogue fourmille d'indications de scène pour créer le ton voulu. Ces formes de multimédia passent souvent inaperçues, mais elles font également partie d'un très vaste marché.

6.

Le marché du bit

Une histoire en 2 bits

Quand il s'agit de prédire et d'initier un changement, je suis plutôt du genre extrémiste. Mais je dois
avouer que je me sens dépassé par les événements
quand je vois le rythme de l'évolution en matière de
technologie, de réglementations et de services d'information — il n'y a apparemment pas de limitations de
vitesse sur l'autoroute électronique. C'est comme
conduire à 160 km/h sur une *autobahn* en Allemagne.
Vous avez l'impression d'aller très vite quand vous
voyez tout à coup une Mercedes vous doubler, puis
une deuxième, puis une troisième. Voilà à quoi ressemble la vie sur la voie rapide de l'*infobahn*.

Bien que tout change plus vite que jamais, l'inno-
vation se mesure moins à des révolutions scientifiques
comme l'invention du transistor, du microprocesseur
ou de la fibre optique qu'à de nouvelles applications
comme l'informatique nomade, les réseaux mondiaux
et le multimédia. Cela tient en partie aux coûts phé-
noménaux des équipements de fabrication des puces
modernes, pour lesquelles de nouvelles applications

99

ne sont nécessaires que pour consommer toute cette puissance de traitement et cette mémoire et aussi parce que, dans de nombreux domaines du matériel, nous approchons des limites physiques.

La lumière met à peu près un millardième de seconde pour parcourir un mètre, et ce n'est pas près de changer. Comme nous fabriquons des puces de plus en plus petites, leur vitesse augmentera peut-être encore un peu. Mais pour un changement radical en puissance de traitement, il faudra imaginer de nouvelles solutions : utiliser, par exemple, plusieurs machines en même temps. Les grands changements dans le domaine des ordinateurs et des télécommunications viennent à présent des applications, des besoins humains de base plutôt que des sciences matérielles de base. Wall Street n'a pas manqué de le remarquer.

Bob Lucky, auteur de renom, ingénieur et vice-président de la recherche appliquée à Bellcore (anciennement la branche recherche exclusive des sept compagnies de téléphone Baby Bells) a expliqué récemment qu'il se tenait au courant des progrès de la technique en lisant non plus des revues spécialisées, mais le *Wall Street Journal*. L'une des meilleures manières de surveiller l'évolution de l'industrie du bit est d'installer le trépied de son télescope sur le paysage de l'entreprise, des affaires et des réglementations des États-Unis, avec un œil sur les différentes places boursières.

Quand QVC (le plus grand réseau de téléachat aux États-Unis) et Viacom (groupe de médias comprenant notamment MTV) se sont disputé Paramount, les analystes ont affirmé que le gagnant serait le perdant. Les résultats de Paramount ont effectivement baissé quand la danse de séduction a commencé, mais l'entreprise n'en est pas moins demeurée une superbe prise pour Viacom qui possède à présent une plus grande diversité de bits. Sumner Redstone, le président et principal actionnaire de Viacom, et Barry Diller, l'ancien président de QVC, savent tous les deux que si votre entreprise ne fabrique qu'un type de bit, on ne donnera pas cher de votre avenir. Le rachat de Paramount était une histoire de bits, pas d'ego.

La valeur d'un bit tient en grande partie à sa capacité d'être réutilisé constamment. À cet égard, un bit Mickey vaut probablement beaucoup plus qu'un bit Forrest Gump ; les bits Mickey se présentent même sous la forme de sucettes (des atomes consommables). Le plus intéressant, c'est que le public garanti de Disney se reconstitue à raison de plus de 12 500 naissances à l'heure. En 1994, la valeur marchande de Disney excédait de 2 milliards de dollars celle de la compagnie téléphonique Bell Atlantic, bien que les ventes de cette dernière soient supérieures de 50 % et ses profits doubles.

Le transport de bits

Être dans le transport de bits est encore pire que d'être dans le transport aérien avec ses guerres des tarifs. Aux États-Unis, le secteur des télécommunications est tellement réglementé que la compagnie NYNEX est obligée d'installer ses cabines téléphoniques dans les coins les plus reculés de Brooklyn (où leur durée de vie moyenne est de 48 heures), pendant que ses concurrents indépendants n'installent les leurs que sur la Cinquième Avenue et sur Park Avenue et dans les salles d'attente des classes affaires.

Pis encore, le modèle économique de tarification des télécommunications est au bord de la désintégration. Les tarifs actuels sont calculés à la minute, au kilomètre ou au bit, échelles d'évaluation qui sont en train de devenir complètement caduques. Le système s'effondre sous la pression des écarts entre deux extrêmes en matière de temps (d'un millième de seconde à une journée), de distance (quelques mètres à cinquante mille kilomètres) et de nombre des bits (de 1 à 20 milliards). À l'époque où ces différences n'étaient pas aussi extrêmes, le vieux modèle convenait encore. Quand on utilisait un modem à 9 600 bps, on payait 75 % de moins pour la durée de la liaison qu'avec un modem à 2 400 bps. Cela ne dérangeait personne.

Mais aujourd'hui, l'écart est énorme, et cela nous dérange. Le temps est un exemple. Sans tenir compte de la vitesse de transmission et du nombre de bits, dois-je me dire que je vais payer autant pour voir un film de deux heures que pour avoir trente conversations de quatre minutes ? Si je peux envoyer un fax à 1,2 million de bits par seconde, vais-je vraiment payer 1/125 de ce que je paie aujourd'hui ? Si je peux superposer une voix à 16 000 bits par seconde sur un canal de film ADSL, vais-je vraiment débourser cinq cents pour une conversation de deux heures ? Si ma belle-mère rentre de l'hôpital avec un pacemaker contrôlé à distance qui nécessite une ligne ouverte avec l'hôpital pour surveiller toutes les heures une demi-douzaine de bits espacés de manière aléatoire, ces bits devraient-ils être facturés au même prix que les 12 milliards de bits d'*Autant en emporte le vent*? Essayez donc de mettre au point un système de tarification !

Il faut que nous trouvions un système plus intelligent qui n'utilisera pas forcément le temps, la distance ou le nombre de bits comme variable de contrôle ou base de tarification. Peut-être la largeur de bande devrait-elle être gratuite et devrions-nous acheter des films, des contrôles de santé à distance et des documents en fonction de leur valeur, et non de celle du canal. On n'imagine pas une seconde que l'on pourrait payer des jouets en fonction du nombre d'atomes qu'ils contiennent. Il est temps de bien comprendre ce que les notions de bits et d'atomes recouvrent.

Si la direction d'une compagnie de télécommunications limite sa stratégie à long terme au transport de bits, elle n'agit pas au mieux des intérêts de ses actionnaires. Le fait qu'on soit propriétaire des bits, qu'on ait un droit d'accès à ces bits, ou qu'on leur ajoute une valeur devrait entrer dans l'équation. Sinon, on n'aura aucun moyen d'augmenter les recettes, et les compagnies de téléphone seront prises au piège d'un service dont le prix ne va pas cesser de baisser à cause de la concurrence et de l'accroissement de la largeur de bande. Mais il y a un hic.

Quand j'étais petit, tout le monde détestait la compagnie de téléphone (l'adulte que je suis devenu placerait les compagnies d'assurances en tête de liste). Dans les années 50, tous les gamins un peu futés avaient une combine pour gratter sur le dos de la compagnie de téléphone, et cela paraissait de bonne guerre. Aujourd'hui, les opérateurs du câble ont récupéré cet honneur douteux, parce que beaucoup n'hésitent pas à augmenter leurs tarifs malgré la médiocrité des services qu'ils proposent. En plus, les opérateurs du câble ne sont pas de simples transporteurs ; ils contrôlent ce qui passe dans leurs câbles.

L'industrie du câble a bénéficié de bien des avantages conférés par son statut de monopole non réglementé qui, à l'origine, ne devait pas être beaucoup plus qu'un patchwork de services communautaires. Quand les franchisés du câble ont commencé à fusionner pour devenir des réseaux nationaux, les gens se sont rendu compte que ces entreprises contrôlaient et le canal de télécommunications et le contenu. Contrairement à la compagnie de téléphone, elles n'étaient pas tenues de fournir un droit de passage, sinon pour certains objectifs très localisés ou communautaires.

La réglementation de l'industrie du téléphone repose sur un principe simple : tout le monde a le droit de l'utiliser. Mais on ne sait pas très bien ce que donnera un système large bande s'il ressemble davantage aux entreprises du câble actuelles qu'à un réseau téléphonique. Le Congrès s'inquiète de l'équité de l'accueil que réservera un propriétaire de chaîne à un propriétaire de contenu, s'il a le choix. En outre, si vous êtes propriétaire et du contenu et de la chaîne, serez-vous en mesure de conserver votre neutralité ?

En d'autres termes, si AT&T, une compagnie de téléphone privée, et Disney fusionnent, l'accès à

Mickey sera-t-il facturé moins cher aux enfants que l'accès à Bugs Bunny ?

Des bits plus frais

À l'automne 1993, quand Bell Atlantic a accepté d'acheter le géant du câble Tele-Communications Inc. pour 21,4 milliards de dollars, les experts de l'autoroute de l'information ont vu dans cet achat le symbole du véritable avènement de l'ère numérique. On venait de couper le ruban numérique.

Pourtant, cette fusion était contraire à toute logique réglementaire et au bon sens. Le téléphone et le câble s'étaient présentés comme des rivaux par excellence, les réglementations excluaient le cumul de propriétés, et l'on pensait que les boucles et les étoiles se mélangeaient à peu près aussi bien que l'huile et le vinaigre. Le niveau d'investissements seul laissait bouche bée.

Quatre mois plus tard, quand les discussions entre Bell Atlantic et TCI sont tombées à l'eau, on a donné dans l'excès inverse en commençant à parler de « victimes de la route » et de « retards de construction » sur l'autoroute de l'information. L'ère numérique venait de nouveau d'être remise aux calendes grecques, les actions de TCI ont chuté de plus de 30 %, et d'autres entreprises associées ont également bu le bouillon. Il a fallu ranger le champagne à la cave.

Mais de mon point de vue, ce n'était pas si grave que ça. En fait, la fusion de Bell Atlantic et de TCI était l'une des moins intéressantes. C'était comme si deux entreprises de plomberie, vendant deux calibres de tuyau, avaient décidé de mettre leurs stocks en commun. Cela n'avait rien à voir avec l'association d'une chaîne et du contenu, un mélange de fabrication de bits et de distribution de bits. En revanche, l'association de Disney et de Michael Ovitz, le roi de Hollywood, avec trois compagnies régionales de téléphone en 1994 présentait déjà plus d'intérêt.

Des entreprises d'électronique grand public ont tenté d'en faire autant avec des entreprises du spectacle. Sur le papier, l'idée est excellente, mais elle n'a pas créé beaucoup de synergie du fait de différences culturelles de toutes sortes. Quand Sony a acheté CBS Records, puis Columbia Pictures, les Américains ont crié au scandale. Comme pour la vente du Rockefeller Center, tout le monde s'est offusqué de voir des symboles culturels nationaux tomber sous le contrôle de l'étranger. Lorsque, quelque temps plus tard, Matsushita a acheté MCA (*Music Corporation of America*, l'un des cinq studios les plus importants de Hollywood, comprenant notamment *Universal Pictures*), le choc a été encore plus rude, parce que le président de MCA, Lew Wasserman, était considéré par beaucoup comme le PDG américain par excellence. Je me rappelle qu'au siège de MCA, après la crise du pétrole, on voyait collé sur les boutons de l'ascenseur un message de Lew qui disait : « Montez un étage et descendez-en deux à pied, pour votre forme et votre patrie ». Ces achats révèlent de profonds fossés culturels, non seulement entre les modes de pensée japonais et américain mais entre le technique, l'ingénierie et les arts. Jusqu'ici ces achats n'ont rien donné, mais j'ai l'impression que cela va changer.

Convergence de cultures

On a tendance à opposer (distinction artificielle s'il en est) la technologie et les humanités, la science et l'art, la partie droite et la partie gauche du cerveau. Le secteur en expansion du multimédia pourrait bien être de ces disciplines qui comblent le fossé.

L'invention de la télévision a été dictée par des impératifs purement technologiques. C'est la vue d'images électroniques de la taille d'un timbre-poste en 1929 qui a conduit des pionniers comme Philo Farnsworth et Vladimir Zworykin à perfectionner la technologie pour ses seuls mérites. Zworykin, qui nourrissait des idées naïves sur l'usage de la télévision à ses débuts, a rapidement déchanté.

Jerome Wiesner, l'ancien président du MIT, raconte qu'un samedi Zworykin est venu le voir à la Maison-Blanche à l'époque où il était le conseiller scientifique (et l'ami intime) de John Kennedy. Son visiteur n'ayant jamais rencontré le président, il lui a proposé de le conduire dans le bureau oval. « Permettez-moi de vous présenter l'homme qui a contribué à vous faire élire, dit Wiesner au président. — Comment cela ? demanda JFK, fort surpris. — Il est l'inventeur de la télévision. » JFK l'a alors félicité pour cette invention extraordinaire et importante. Et Zworykin de répondre, désabusé : « Vous avez eu l'occasion de la regarder récemment ? »

Des impératifs technologiques — et seulement ces impératifs — ont orienté le développement de la télévision. Ensuite, elle a été confiée à un corps de talents créatifs, avec des valeurs différentes, issu d'une sous-culture différente.

En revanche, la photographie a été inventée par des photographes. Ceux qui ont perfectionné la technologie photographique l'ont fait à des fins d'expression, peaufinant leurs techniques pour répondre aux besoins de leur art, comme des auteurs ont inventé des romans, des essais et des bandes dessinées pour exprimer leurs idées.

Les ordinateurs personnels ont éloigné l'informatique de l'impératif purement technique, et leur évolution actuelle ressemble davantage à celle de la photographie. L'informatique n'est plus le domaine exclusif de l'armée, du gouvernement et du monde des affaires. Elle passe directement entre les mains d'individus très créatifs à tous les niveaux de la société, devenant un moyen de l'expression créatrice tant dans son utilisation que dans son développement. Les moyens et les messages des multimédias vont devenir un mélange de réussite technique et artistique. Les produits de consommation seront la force motrice.

L'industrie des jeux électroniques (15 milliards de dollars dans le monde entier) en est un exemple. Ces jeux représentent un marché plus vaste et au développement plus rapide que l'industrie cinématographique américaine. Les fabricants de jeux font de tels pas de géant en technologie d'affichage que la réalité virtuelle va devenir une « réalité » à très faibles coûts, alors que la NASA n'a pu l'utiliser qu'avec une réussite marginale en déboursant plus de 200 000 dollars. Le 15 novembre 1994, Nintendo a annoncé la sortie prochaine d'un jeu de réalité virtuelle, le *Virtual Boy,* à 199 dollars.

Prenez le processeur le plus rapide d'Intel qui tourne à 100 millions d'instructions par seconde (MIPS). Comparez cela à Sony qui vient de lancer une console de jeux à 200 dollars à 1 000 MIPS. Que se passe-t-il ? La réponse est simple : notre appétit pour de nouveaux types de loisir est apparemment insatiable, et le nouveau contenu en trois dimensions et en temps réel, sur lequel table l'industrie des jeux, a besoin de ce genre de traitement et de ces nouveaux affichages. L'application est devenue l'impératif.

On choisit, on ne subit plus

Nombre des grosses compagnies de médias comme Viacom, News Corporation et l'éditeur de ce livre créent la valeur ajoutée du contenu information et loisir en le distribuant. Comme je l'ai déjà dit, la distribution d'atomes est beaucoup plus complexe que celle des bits et exige une énorme structure. En revanche, transporter des bits est bien plus simple et, en principe, ne nécessite pas ce type de corporations géantes. Enfin, presque.

C'est en lisant le *New York Times* que j'ai appris à connaître et à apprécier la prose de John Markoff, journaliste spécialisé dans l'informatique et les communications. Sans le *New York Times,* je n'aurais jamais connu son travail. Toutefois, maintenant que c'est fait, j'aimerais bien avoir le moyen de recueillir automatiquement tous les articles de Markoff pour les ranger dans mon journal personnalisé ou dans mon fichier de lectures, cela me faciliterait la vie. Je serais même tout disposé à payer les deux cents symboliques à Markoff pour chacun de ses articles.

Mettons que 1/100 de la population d'Internet en 1995 souscrive à cette idée et que John écrive cent articles par an (il en écrit en fait entre 120 et 140), son salaire annuel avoisinerait alors le million de dollars, ce qui doit être plus que ce que lui verse le *New York Times*. Si 1/100 vous paraît trop important, attendez, vous allez voir. Une fois qu'une personne est connue, la valeur ajoutée par un distributeur diminue de plus en plus dans le monde numérique.

La distribution et le mouvement de bits doivent aussi inclure des processus de filtrage et de sélection. L'entreprise de médias est, entre autres choses, un chasseur de talents, et son canal de distribution lui permet de tester son produit auprès du grand public. Mais, dépassé un certain seuil, l'auteur n'a peut-être plus besoin de ce forum. À l'ère numérique, Michael Crichton récolterait certainement beaucoup plus de droits d'auteur en vendant directement ses prochains livres. Désolé, cher éditeur.

Le numérique va changer la nature des médias qui n'imposeront plus des bits mais permettront aux gens (ou à leurs ordinateurs) de les choisir. C'est là une évolution radicale, parce que, à l'heure actuelle, les médias filtrent l'information pour nous, et se contentent de jeter en pâture à des « publics » différents des « articles de une » ou des « best-sellers ». Les médias s'orientent certes vers la diffusion restreinte, comme les magazines, mais il n'en reste pas moins qu'ils continuent à imposer leurs bits à des groupes ayant des intérêts particuliers, commes les fous de la mécanique, les skieurs alpins ou les amateurs de vin. Récemment, j'ai même vu passer l'idée d'un magazine pour insomniaques, qui ferait de la pub pendant les programmes TV de nuit, à l'heure où les tarifs sont donnés.

L'industrie de l'information va devenir de plus en plus une affaire de boutiquiers. Son marché est l'autoroute mondiale de l'information. Les consommateurs seront des gens et leurs agents ordinateurs. Le marché du numérique existe-t-il ? Oui, mais seulement si l'interface entre les gens et leurs ordinateurs s'améliore au point que dialoguer avec son ordinateur devienne aussi simple que de dialoguer avec un autre être humain.

Deuxième partie

L'INTERFACE

7.

Des bits et des humains

Réaction fatale

Voilà des années que je passe au minimum trois heures par jour devant un ordinateur, et il m'arrive encore de trouver cela assez frustrant. Comprendre les ordinateurs est à peu près aussi simple que de déchiffrer un relevé de banque. Est-il bien utile que les ordinateurs (et les relevés de banque) soient aussi compliqués ? Pourquoi le numérique est-il aussi ardu ?

En fait, ils ne le sont pas et ils n'ont pas besoin de l'être. L'évolution de l'informatique a été si rapide que cela fait très peu de temps que nous disposons de suffisamment de puissance de traitement bon marché pour la consacrer sans compter à l'amélioration de l'interaction entre votre ordinateur et vous. Avant, dépenser du temps et de l'argent pour améliorer l'interface avec l'utilisateur faisait figure de gaspillage inutile, parce que les cycles informatiques étaient trop précieux pour servir à autre chose qu'à résoudre un problème.

Les scientifiques avaient toutes sortes de bonnes raisons pour justifier l'interface muette. Au début des années 70, par exemple, on a vu paraître quelques articles « savants » sur les raisons de la « supériorité » des écrans noir et blanc sur les écrans couleur. La couleur n'a rien de condamnable. La communauté de la recherche voulait seulement justifier son incapacité à mettre au point une bonne interface à un coût raisonnable, ou, pour être un peu plus cynique, de faire fonctionner ses méninges.

Ceux d'entre nous qui travaillaient sur l'interface homme-ordinateur à la fin des années 60 et dans les années 70 étaient considérés comme les mauviettes de l'informatique, dignes du plus parfait mépris. Nous n'avions pas choisi la bonne orientation, même si notre domaine de recherche commençait à être accepté. Pour mesurer l'importance de la détection, de l'effet et du feed-back, rappelez-vous la dernière fois que le bouton de l'ascenseur ne s'est pas allumé quand vous avez appuyé dessus (vraisemblablement parce que l'ampoule était morte). Votre frustration devait être énorme : mon ordre a-t-il été compris ? La conception et la fonction de l'interface sont essentielles.

En 1972, on dénombrait 150 000 ordinateurs dans le monde, alors que dans cinq ans le fabricant de circuits intégrés Intel pense en vendre à lui seul 100 millions chaque année (et selon moi, ils sont très loin du compte). Il y a trente ans, se servir d'un ordinateur, comme piloter un véhicule lunaire, était le privilège de quelques initiés au jargon nécessaire pour conduire ces machines dotées dans le meilleur des cas de langages primitifs (des interrupteurs à bascule et des lumières clignotantes). Selon moi, on faisait inconsciemment tout pour préserver le mystère.

Nous payons encore la note aujourd'hui.

Quand les gens parlent du *look and feel* des ordinateurs, ils font allusion à l'interface graphique (GUI pour les professionnels). Celle-ci a commencé à faire d'énormes progrès vers 1971 grâce aux travaux de Xerox et, peu après, à ceux du MIT et de quelques autres laboratoires, et elle est devenue un véritable produit dix ans plus tard quand Steve Jobs a eu la bonne idée de lancer le Macintosh. Le Mac a été un pas de géant, et, en comparaison, il ne s'est presque rien produit depuis sur le marché. Il a fallu encore cinq années aux autres fabricants pour copier Apple et, dans certains cas, avec des résultats inférieurs, même aujourd'hui.

Chaque fois que l'homme a cherché à faciliter l'usage de la machine par l'homme, il s'est presque exclusivement efforcé d'améliorer les points de contact sensoriels et d'élaborer une meilleure conception physique. L'interface a le plus souvent été traitée comme un problème traditionnel de conception industrielle. Quand on dessine la poignée d'une théière ou le manche d'un râteau, on pense forme, transfert de chaleur et moyen de prévenir la formation d'ampoules.

La conception d'un cockpit est un véritable défi, non seulement à cause du nombre de commandes, de boutons, de cadrans et de jauges, mais également parce que deux ou trois données sensorielles proches peuvent interférer les unes avec les autres. En 1972, un L-1011 d'Eastern Airlines s'est écrasé au sol parce que son train d'atterrissage n'était pas sorti. Entre la voix du contrôleur du ciel et le bip de l'ordinateur de bord, l'équipage n'avait pas entendu le message d'avertissement. Conception d'interface fatale.

J'ai eu un magnétoscope très intelligent doté d'une reconnaissance vocale presque parfaite qui me connaissait très bien. Je pouvais lui demander d'enregistrer tel et tel programme en le nommant et, dans certains cas, même supposer qu'il le ferait automatiquement, sans que j'aie rien à dire. Puis, tout à coup, mon fils est entré au lycée.

Voilà plus de six ans que je n'ai pas enregistré une émission de télévision. Non que je ne puisse pas le faire, mais l'intérêt est trop faible pour l'effort demandé. C'est inutilement difficile. On a réduit l'emploi du magnétoscope et des télécommandes en général à un problème de boutons à presser. De la même manière, on a traité l'interface avec les PC comme un problème de conception physique. Mais l'interface ne se résume pas à l'aspect et au toucher d'un ordinateur. C'est un problème de création de personnalité, de conception de l'intelligence, et de construction de machines capables de reconnaître l'expression humaine.

Un chien est capable de vous reconnaître à votre démarche à plus de cent mètres de distance, alors qu'un ordinateur ne sait même pas que vous êtes là. N'importe quel animal familier ou presque peut sentir que vous êtes en colère, mais un ordinateur n'en a pas la moindre idée. Même un chiot comprend qu'il a fait une bêtise ; l'ordinateur, non.

Le défi de la prochaine décennie n'est pas de mettre au point de plus grands écrans ni de proposer une meilleure qualité sonore et des dispositifs graphiques plus simples à utiliser. C'est de fabriquer des ordinateurs qui vous connaissent, n'ignorent rien de vos besoins, et comprennent les langages verbal et gestuel. Un ordinateur devrait être capable de faire la différence entre « Veil » et « veille », non parce qu'il peut déceler la petite différence acoustique, mais parce qu'il est capable de comprendre le sens. Voilà une conception d'interface digne de ce nom.

Aujourd'hui, le poids de l'interface repose totalement sur les épaules de l'homme. Un chose aussi banale que l'impression d'un document peut être un exercice débilitant plus proche du vaudou que d'un comportement humain respectable. De ce fait, de nombreux adultes baissent les bras, dégoûtés, et prétendent qu'ils sont nuls devant un ordinateur.

Cela va changer.

Odyssées

En 1968, Arthur Clarke a été nominé aux Oscars avec Stanley Kubrick pour le film *2001 : l'Odyssée de l'espace*. Bizarrement, le film est sorti avant le livre. Cela a permis à Clarke de revoir son manuscrit après avoir visionné les rushs (fondés sur une version antérieure de l'histoire). Au sens le plus strict, Clarke a été en mesure de simuler son histoire et de raffiner ses concepts. Il a pu voir et entendre ses idées avant de les confier à l'impression.

119

Cela explique peut-être pourquoi HAL, l'ordinateur vedette du film, était une vision aussi géniale (bien que mortelle) de l'interface homme/ordinateur de l'avenir. HAL (dont le nom ne vient pas des lettres précédant celles du signe IBM) avait une parfaite maîtrise du langage (compréhension et énonciation), une vision excellente et de l'humour, ce qui est le test suprême de l'intelligence.

Il a fallu près d'un quart de siècle pour qu'apparaisse un autre exemple d'excellente interface : *The Knowledge Navigator* (le navigateur du savoir). Cette vidéo, également une production théâtrale, ce que l'on appelle un prototype vidéo, était une commande de John Sculley, alors PDG d'Apple, dont le propre livre avait aussi pour titre *Odyssée*. Le livre de Sculley se terminait sur l'idée d'un navigateur du savoir, qui allait devenir une vidéo. Il voulait donner un exemple d'une interface de l'avenir, au-delà des souris et des menus. Il a fait de l'excellent travail.

The Knowledge Navigator décrit un appareil plat ressemblant à un livre ouvert sur le bureau d'un professeur BCBG. Dans un coin de l'écran, on voit un homme à nœud papillon qui n'est autre que la personnalité de la machine. Le professeur demande à cet agent de l'aider à préparer une conférence, lui délègue plusieurs tâches et, de temps à autre, se voit rafraîchir la mémoire sur d'autres sujets. L'agent peut voir, entendre et réagir intelligemment, comme un assistant humain.

HAL et le *Knowledge Navigator* ont cela de commun qu'ils font preuve d'un tel degré d'intelligence que l'interface physique disparaît presque. Voilà le secret de la conception d'une interface : la faire disparaître. Quand vous rencontrez quelqu'un pour la première fois, vous serez d'abord très conscient de son apparence physique, de sa voix et de ses gestes. Mais rapidement le contenu de votre dialogue va dominer, même si les intonations et les expressions faciales jouent un grand rôle. Une bonne interface devrait se comporter ainsi. Le problème est moins de concevoir un tableau de bord qu'un être humain.

Pourtant, la plupart des concepteurs d'interface s'obstinent à vouloir à rendre facile l'usage de machines stupides pour des êtres intelligents. Ils s'inspirent d'un domaine qu'on appelle « facteurs humains » aux États-Unis et « ergonomie » en Europe, qui s'intéresse à la manière dont l'homme se sert de ses sens et de son corps dans ses rapports avec les outils de son environnement immédiat.

Le combiné téléphonique est probablement l'application qui a été la plus redessinée, revue et corrigée sans que cela donne de résultats probants. Avec leur interface inutilisable, les téléphones cellulaires sont encore pires dans le genre que les magnétoscopes. Un téléphone Bang & Olufsen relève de la sculpture, pas de la téléphonie, et il est encore plus difficile à utiliser que le bon vieil appareil à cadran en bakélite.

En outre, on n'arrête pas d'ajouter des caractéristiques aux téléphones. Mémoire d'appel, rappel du dernier numéro composé, gestion de carte de crédit, mise en attente d'appels, renvoi d'appels et filtrage d'appels : on multiplie les fonctions d'un appareil que sa taille minuscule rend pratiquement inutilisable.

Mais peu m'importent toutes ces caractéristiques !

Ce que je veux, c'est de ne pas avoir à toucher mon appareil. Pourquoi les concepteurs d'appareils téléphoniques ne comprennent-ils pas que nous ne voulons pas avoir à composer un numéro ? Nous voulons joindre des gens par téléphone !

Si c'était possible, on déléguerait cette tâche, ce qui me fait dire qu'au lieu de réfléchir au design des combinés téléphoniques on ferait mieux de songer à fabriquer un secrétaire robot qui tiendrait dans notre poche.

Au-delà du simple trait

On a commencé à s'intéresser à l'interface avec l'ordinateur en mars 1960 après la publication de l'article de J.C.R. Licklider sur « la symbiose homme-ordinateur ». Psychologue expérimental et acousticien de formation, converti et messie de l'informatique, « Lick » a dirigé les premières recherches de l'ARPA *(Advanced Research Projects Agency)* dans ce domaine. Au milieu des années 60, on lui a demandé d'écrire une annexe à un rapport de la Commission Carnegie sur l'avenir de la télévision. C'est là que Lick a lancé le terme de « diffusion ciblée » *(narrow casting)*. Il était loin de se douter que ses deux contributions, la symbiose homme-ordinateur et la diffusion ciblée, seraient appelées à converger dans les années 90.

Au début des années 60, la recherche balbutiante en matière d'interface homme-ordinateur allait prendre deux orientations qui mettraient vingt ans à se rejoindre. L'une s'intéressait à l'interactivité, l'autre se concentrait sur la richesse sensorielle.

On s'est attaqué à l'interactivité en résolvant le problème du partage d'un ordinateur, une ressource alors onéreuse et monolithique. Dans les années 50 et au début des années 60, un ordinateur était tellement précieux qu'on s'arrangeait pour qu'il fonctionne sans arrêt. Il était impensable de se connecter, de faire poser une question par l'ordinateur et de le laisser sans rien faire pendant qu'un homme lisait la question, réfléchissait et y répondait. On inventa alors une méthode appelée « le temps partagé », qui permettait à de multiples utilisateurs installés de partager une seule machine à partir de lieux éloignés. En divisant la ressource entre dix personnes, par exemple, non seulement chacune pouvait disposer d'un dixième de la machine, mais encore son temps de réflexion pouvait être utilisé par une autre pour se servir de l'ordinateur.

Ce partage du gâteau numérique ne posait pas de problème tant qu'aucun utilisateur ne monopolisait la machine, en ayant besoin de grandes quantités de calcul ou de largeur de bande. Les premiers terminaux fonctionnaient à 110 bauds. Je me souviens très bien du jour où ils sont passés à 300 bauds, cela semblait tenir du miracle.

En revanche, on s'est intéressé à la richesse sensorielle dans le domaine de l'interaction graphique demandant une très grande largeur de bande. Les premiers graphiques informatiques nécessitaient une machine exclusivement vouée à la production d'images. Sur le principe, l'ordinateur n'était pas différent du micro actuel, mais il remplissait une grande pièce et coûtait des millions de dollars. Au début, l'infographie permettait de tracer des lignes, ce qui nécessitait une énorme puissance de calcul pour contrôler directement le faisceau du tube cathodique.

Ce n'est que dix ans plus tard que l'infographie a commencé à tracer non plus seulement des lignes, mais des formes et des images. Ces nouveaux écrans, à balayage de type télévision, nécessitaient beaucoup de mémoire pour stocker l'image point par point. Ils sont tellement répandus aujourd'hui que la plupart des gens ignorent qu'au départ ils faisaient figure d'hérésie. (Personne ou presque ne croyait en 1970 que la mémoire informatique serait un jour suffisamment abordable pour que l'on puisse en consacrer autant au graphisme.)

Le temps partagé et l'infographie n'ont pas fait très bon ménage au cours des deux décennies suivantes. Des systèmes de temps partagé peu évolués sur le plan de l'interface sont apparus comme un outil acceptable pour l'informatique des affaires et de l'université, donnant naissance aux systèmes bancaires informatisés et aux systèmes de réservations des compagnies aériennes, que l'on trouve parfaitement normal aujourd'hui. Le temps partagé commercial a marché main dans la main avec une conception d'interface très parcimonieuse, généralement une sortie machine à écrire, cherchant presque volontairement à rendre le système suffisamment lent pour tout utilisateur, afin que les autres obtiennent leur juste part.

En revanche, l'infographie s'est développée en grande partie avec l'informatique individuelle. En

1968, les mini-ordinateurs dans les 20 000 dollars ont commencé à apparaître, notamment parce que l'automatisation des machines et des usines nécessitait des contrôles très précis en temps réel. Ce qui était aussi le cas de l'infographie. Associés à des écrans de visualisation, ces systèmes infographiques ont été les précurseurs de ce que nous connaissons aujourd'hui sous le nom de « stations de travail », qui ne sont rien d'autre que des micro-ordinateurs en pantalon long.

L'interface multimodale

On considère généralement la redondance comme un mauvais symptôme, l'indice d'une verbosité inutile ou d'un manque d'attention. Au début des recherches sur l'interface, on a étudié des techniques d'interaction en tentant de sélectionner judicieusement un moyen ou un autre, selon les circonstances. Un crayon optique était-il mieux qu'une tablette graphique ? Cette mentalité de l'alternative était mue par la fausse croyance qu'il existait une solution universelle idéale pour toute situation donnée ; c'est faux parce que les gens sont différents, que les situations changent, et que le contexte d'une interaction donnée dépend souvent du canal disponible. Il n'y a pas d'idéal en matière de conception d'interface.

Au milieu des années 70, j'ai rencontré un amiral qui disposait d'un des systèmes de commande et de contrôle les plus évolués. Il aboyait des ordres à un deuxième classe qui entrait consciencieusement les bonnes instructions dans l'ordinateur. En ce sens, le système avait une interface géniale : non seulement il était capable de reconnaître la voix, mais il avait de la patience à revendre. L'amiral pouvait parler et gesticuler en arpentant la pièce. Il pouvait être lui-même.

Néanmoins, il lui aurait été impossible de mettre sur pied un plan d'attaque par le biais d'une interface aussi indirecte. Il savait que le marin regardait la situation par le petit trou de la serrure de l'écran de l'ordinateur. L'amiral préférait avoir un contact direct avec une grande carte du « théâtre des opérations » sur laquelle il pouvait punaiser des petits bateaux bleus et rouges de la forme voulue. (À l'époque, le fait que les Russes utilisent les mêmes couleurs nous faisait beaucoup rire.)

L'amiral était à l'aise avec la carte, non pas parce que c'était un objet traditionnel doté d'une très haute résolution, mais parce que son corps tout entier participait. Le seul fait de pouvoir déplacer des bateaux l'aidait à mémoriser la situation. Il était profondément impliqué dans son rapport avec la carte, jusqu'aux muscles de son cou. En l'occurrence, il n'était pas obligé de choisir entre un type d'interface ou un autre.

Cette façon de voir a créé une révolution, parce qu'on a commencé à se dire que la redondance avait du bon. On a compris que la meilleure interface devait faire appel à plusieurs canaux de communication différents et concomitants, par le biais desquels un utilisateur pourrait exprimer quelque chose en se servant de différents sens ou appareils sensoriels (ceux de l'utilisateur et ceux de la machine). En outre, et c'est tout aussi important, on a compris qu'un canal de communication pourrait fournir l'information manquant dans l'autre.

Mettons que nous soyons plusieurs dans une pièce et que je demande à quelqu'un comment il s'appelle, la question n'a aucun sens pour mes interlocuteurs à moins qu'ils ne puissent voir à qui je m'adresse.

Cela a été superbement illustré par un programme appelé Put-That-There (« Posez-ça là ») mis au point au MIT par Dick Bolt et Chris Schmandt. Le premier prototype du programme, en 1980, vous permettait de parler et de gesticuler devant un écran de la taille d'un mur et de déplacer des objets simples (qui sont devenus des bateaux) sur un écran blanc (qui est devenu la mer des Caraïbes). Dans une démonstration filmée de Put-That-There, le programme a mal interprété une commande. Le « Oh ! merde » spontané de Schmandt n'a pas été coupé au montage, pour bien rappeler aux nombreux futurs spectateurs l'ampleur du travail qui restait à faire.

L'idée est simple : il devrait être possible de parler, de montrer du doigt et de se servir de ses yeux dans un rapport avec l'ordinateur : voilà l'interface multimodale ; il s'agit moins d'échanger des messages (la base du temps partagé) que d'instaurer un dialogue, comme entre deux humains. À l'époque, toutes ces tentatives de mettre au point une conception de l'interface « et/ou » avaient des allures de science bâclée. J'ai peu de respect pour les tests et l'évaluation dans la recherche en interface. Mon argument, peut-être arrogant, est que, s'il est nécessaire de multiplier les tests pour mesurer le progrès apporté par une découverte, pour trouver ce qui fait la petite différence, cela veut dire qu'elle ne représente pas un progrès suffisant.

La différence perceptible

Quand j'étais petit, ma mère avait un placard à linge au fond duquel il y avait un « mur secret ». Ce n'était pas un grand secret : une série de traits de crayon que nous faisions périodiquement pour mesurer ma croissance. Tous les traits étaient consciencieusement datés, et ils étaient plus ou moins distants les uns des autres, parce que, par exemple, nous avions passé l'été ailleurs. Utiliser deux placards ne paraissait pas logique.

Ce mur au fond du placard était une affaire privée qui mesurait, d'une certaine manière, ma consommation de lait, d'épinards, entre autres aliments sains.

En revanche, ma croissance avait un aspect beaucoup plus spectaculaire. Un oncle pouvait dire : « Combien de centimètres as-tu pris, Nicky ? » (parce qu'il ne m'avait pas vu pendant deux ans). Mais j'étais incapable de comprendre le changement. Je ne voyais que les traits de crayon au fond du placard.

La différence juste perceptible est une unité de mesure en psychophysique. Son nom seul a influencé la conception de l'interface humaine. S'il s'agit d'une différence juste perceptible, pourquoi s'embêter avec ? S'il faut mesurer soigneusement pour déceler une différence, peut-être ne travaillons-nous pas aux choses qui ont vraiment de l'importance.

Par exemple, des études savantes ont suggéré que la parole et le langage naturel ne sont pas des canaux de communication appropriés entre l'homme et l'ordinateur dans la plupart des applications. Ces rapports techniques regorgent de tableaux, de groupes témoins, etc., prouvant que le langage naturel est déroutant pour la communication homme-ordinateur.

Je n'attends certainement pas du pilote d'un 747 qu'il décolle en chantant à tue-tête : « Et on est partis ! », mais je ne vois pas pourquoi on n'exploiterait pas la richesse du discours et des gestes, même dans un cockpit. Où que se trouve l'ordinateur, si l'on veut que l'interface soit efficace, il faut associer la richesse sensorielle et l'intelligence de la machine.

Quand cela se produira, la différence sera perceptible. Nous verrons ce que voyait mon oncle, au lieu des traits de crayon au fond du placard.

Des interfaces intelligentes

En matière d'interface, mon rêve est de voir des ordinateurs ressembler davantage à des hommes. On reprochera à cette idée d'être trop romantique, vague ou irréalisable. Je lui reprocherais de manquer d'ambition. Peut-être existe-t-il des canaux de communication complètement exotiques auxquels nous n'avons pas encore songé. (Marié à une vraie jumelle et frère de vrais jumeaux, je suis tout prêt à croire par expérience que la communication extrasensorielle n'est pas impossible.)

129

Au milieu des années 60, je me suis fixé comme objectif d'essayer d'imiter la communication en face à face, avec toute la richesse de la gestuelle, des expressions du visage, et des mouvements du corps. J'ai pris l'amiral comme modèle.

Le système de gestion des données spatiales (vers 1976) avait pour objectif de fournir une interface humaine qui « amènerait les ordinateurs directement aux généraux, aux PDG d'entreprises et aux enfants de six ans. » Le système était conçu pour que l'on puisse apprendre à l'utiliser en trente secondes. Il permettait d'explorer et de manipuler du son, de l'image et des données complexes avec autant de facilité que l'on se sert d'un ordinateur de bureau ou d'une bibliothèque.

C'était révolutionnaire pour l'époque — la fin des années 70 —, mais c'était encore très loin de la simplicité de la communication entre l'amiral et son marin. L'interface homme-ordinateur future s'ancrera dans la délégation, pas dans le langage de la manipulation directe — baisser une manette, presser un bouton, cliquer — ni dans les interfaces avec les souris. La « facilité d'utilisation » a été un objectif tellement irrésistible que nous en oublions parfois que beaucoup de gens se refusent à se servir de la machine. Ils veulent obtenir un résultat, point.

Ce que nous appelons aujourd'hui les « interfaces orientées agents » va devenir le moyen dominant par lequel les ordinateurs et les gens dialogueront. Il y aura des points précis dans l'espace et dans le temps où des bits seront convertis en atomes, et vice versa. Que cela se fasse par le biais de la transmission d'un

cristal liquide ou par la réverbération d'un synthétiseur vocal, l'interface devra avoir une taille, une
forme, une couleur, un ton de voix, et tout l'attirail
sensoriel.

8.

La personnalité graphique

Le big bang graphique

En 1963, au MIT, Ivan Sutherland a fait exploser l'idée de l'infographie interactive avec sa thèse de doctorat intitulée *Sketchpad* (feuille de croquis). Sketchpad était un système de tracés de lignes en temps réel qui permettait à l'utilisateur de dialoguer directement avec l'écran de l'ordinateur au moyen d'un crayon optique. C'était un progrès d'une telle ampleur qu'il a fallu à certains d'entre nous une bonne dizaine d'années pour comprendre et mesurer son impact. Sketchpad introduisait de nombreux concepts nouveaux : l'infographie dynamique, la simulation visuelle, la résolution de contraintes, le pilotage au crayon optique, et un système de coordonnées virtuellement infinies, pour n'en citer que quelques-uns. Sketchpad a été le big bang de l'infographie.

Au cours des dix années suivantes, de nombreux chercheurs ont paru se désintéresser des aspects interactifs en temps réel de l'infographie. Ils ont consacré la plupart de leurs efforts de création à la synthèse d'images réalistes, sans interaction et en différé.

Sutherland lui-même s'est un peu laissé distraire par le problème de la vraisemblance visuelle, c'est-à-dire le moyen de rendre une image de synthèse la plus réaliste et la plus détaillée possible. Cette recherche s'est concentrée sur des questions comme les ombres, les reflets, les réfractions et les surfaces cachées. C'est ainsi que des pièces de jeu d'échecs et des théières magnifiquement rendues sont devenues les emblèmes de la période post-Sketchpad.

À cette même époque, j'en suis venu à penser que l'aisance avec laquelle l'utilisateur pouvait exprimer ses idées graphiques était plus importante que la capacité de la machine de rendre ces idées sous forme d'images de synthèse de qualité photographique. Pour une interface homme-ordinateur digne de ce nom, il fallait que l'ordinateur puisse comprendre les hésitations et les ambiguïtés typiques des premiers stades de tout processus de conception, par opposition aux présentations plus complètes et plus cohérentes de rendus complexes et finalisés. Le suivi en direct et en temps réel d'un dessin fait à la main m'a fourni un excellent domaine de recherche pour comprendre et transformer l'infographie en un média plus dynamique, plus interactif et plus expressif.

Le concept clé de mon travail était de comprendre l'« intention » derrière le dessin. Si un utilisateur traçait une courbe légèrement infléchie apparemment résolue, l'ordinateur supposait qu'il la voulait ainsi, alors que la même ligne, dessinée rapidement, était peut-être destinée au départ à être une ligne droite. Ces deux courbes douces vues après coup et non pendant leur tracé pouvaient avoir exactement le même aspect. Toutefois, le comportement de l'utilisateur indiquait deux intentions complètement différentes. En outre, le comportement variait d'une personne à une autre, parce que nous avons tous notre manière bien à nous de dessiner. Il fallait donc que l'ordinateur se familiarise avec le style propre à chaque utilisateur. On retrouve ce même concept trente ans plus tard dans la capacité du Newton d'Apple de reconnaître l'écriture en s'adaptant à la façon d'écrire de l'utilisateur (ceux qui y ont consacré du temps paraissent plus satisfaits).

Ce problème de reconnaissance de formes et d'objets dessinés m'a amené à réfléchir à l'infographie non plus en termes de lignes mais en termes de points. Dans un dessin, ce qui se trouve entre les lignes, ou à l'intérieur, est ce qui compte le plus si l'on veut comprendre ce que le dessin représente.

À la même époque, les chercheurs du centre de recherche PARC *(Palo Alto Research Center),* de Xerox, avaient aussi inventé une approche de l'infographie orientée sur la forme qui consistait à traiter et à remplir des zones amorphes en mémorisant et en affichant les images sous la forme de masse de points. À l'époque, nous avons été plusieurs à en conclure que l'avenir de l'infographie interactive n'était pas dans les machines de tracés de lignes comme Sketchpad, mais dans des systèmes à balayage de type télévision qui projetaient des images (stockées dans la mémoire de l'ordinateur) sur un écran, au lieu de piloter le faisceau d'un tube cathodique selon les axes X et Y, comme pour le croquis. L'élément primitif de l'infographie cessait d'être la ligne pour devenir le pixel.

La puissance du pixel

Comme un bit est l'atome de l'information, un pixel est la molécule du graphique. (Je ne parle pas de niveau atomique, parce qu'on représente généralement un pixel par plus d'un bit.) La communauté de l'infographie a inventé le terme de pixel qui est une contraction des mots *picture* et *element*.

Pensez à une image comme une série de lignes et de colonnes de pixels, une sorte de grille de mots croisés vide. Pour toute image monochrome donnée, vous pouvez décider le nombre de lignes et de colonnes que vous allez utiliser. Plus il y aura de lignes et de colonnes, plus les carrés seront petits, plus le grain sera fin, et meilleur sera le résultat. Posez mentalement cette grille sur une photo et remplissez chaque carré d'une valeur d'intensité lumineuse. Complétée, la grille de mots croisés sera une série de chiffres.

Dans le cas de la couleur, vous avez trois chiffres par pixel, généralement un pour le rouge, un pour le vert et un pour le bleu, ou un pour la luminosité, un pour la teinte et un pour la saturation. Le rouge, le jaune, et le bleu, comme on nous l'enseigne à l'école, ne sont pas les trois couleurs primaires. Les trois couleurs primaires additives (comme dans la télévision) sont le rouge, le vert et le bleu. Les trois couleurs primaires soustractives (comme en imprimerie) sont le magenta, le cyan et le jaune. Non pas le rouge, le jaune et le bleu. (Il paraît qu'on n'enseigne pas ces termes aux enfants parce que le mot magenta est trop long. De toute façon, de nombreux adultes n'ont jamais entendu parler du cyan.)

Dans le cas du mouvement, le temps est échantillonné — comme avec les images d'un film. Chaque échantillon est une trame unique, une autre grille de mots croisés, et il suffit de les empiler et de les lire à un rythme suffisamment rapide pour produire un mouvement lisse. Si l'infographie dynamique est rare et si la vidéo s'affiche dans une petite fenêtre, c'est parce qu'il est difficile d'extraire un nombre suffisant de bits de la mémoire pour les afficher assez vite sous la forme de pixels sur l'écran (pour produire les 60 à 90 trames/seconde nécessaires pour un mouvement uniforme sans scintillement). Chaque jour, quelqu'un propose un nouveau produit ou une nouvelle technique pour obtenir ce résultat plus vite.

Le vrai pouvoir du pixel tient à sa nature moléculaire. En effet, un pixel peut faire partie de n'importe quoi, texte, lignes ou photos. Les pixels sont des pixels comme les bits sont des bits. Avec suffisamment de pixels et suffisamment de bits par pixel (pour le gris ou la couleur), vous pouvez obtenir l'excellente qualité d'affichage des micro-ordinateurs et des stations de travail contemporains. Toutefois, les défauts, comme les qualités, viennent des limites de cette structure en grille de base.

Les pixels ont tendance à utiliser beaucoup de mémoire. Plus vous utilisez de pixels et de bits par pixel, plus il vous faut de mémoire pour les stocker. Un écran type de 1 000 pixels sur 1 000, en couleur, nécessite 24 millions de bits de mémoire. Quand j'ai débuté au MIT en 1961, la mémoire coûtait environ un dollar le bit. Aujourd'hui, 24 millions de bits reviennent à 60 dollars, ce qui signifie que nous pouvons plus ou moins ignorer le gros appétit de mémoire de l'infographie à base de pixels.

Il n'y a guère que 5 ans, ce n'était pas le cas, et on faisait des économies en utilisant moins de pixels par écran et bien moins de bits par pixel. En fait, les premiers écrans à balayage de type télévision avaient tendance à n'utiliser qu'un bit par pixel, ce qui fait que nous avons hérité d'un problème particulier : les marches d'escalier.

Le scandale des marches d'escalier

Vous êtes-vous jamais demandé pourquoi votre écran d'ordinateur affiche des lignes dentelées, des marches d'escalier ? Pourquoi des images de pyramides ressemblent à des ziggourats ? Pourquoi les majuscules E, L et T ont si fière allure, alors que le S, le W et le O ont l'air de décorations de Noël bâclées ? Pourquoi les courbes semblent avoir été tracées par un épileptique ?

On n'utilise qu'un bit par pixel pour afficher l'image, voilà l'explication, et on obtient un effet d'escalier, ou un crénelage visuel, ce qui ne se produirait pas si les fabricants de matériel et de logiciels voulaient bien utiliser davantage de bits par pixel et injecter un peu de puissance de traitement dans le problème.

Pourquoi tous les écrans d'ordinateur ne sont-ils pas équipés contre les effets de crénelage ? L'excuse donnée est que cela demande trop de traitement. Il y a dix ans, on pouvait (peut-être) accepter l'argument selon lequel il valait mieux utiliser de la puissance ailleurs ; en outre, les niveaux intermédiaires de gris nécessaires pour supprimer les effets d'escalier n'étaient pas aussi courants qu'aujourd'hui.

Malheureusement, le consommateur a appris à ne plus se formaliser de ces effets d'escalier. Cet artifice devient même une sorte de mascotte, un peu comme ce drôle de caractère à lecture magnétique que les graphistes utilisaient fréquemment dans les années 60 et 70 pour faire « électronique ». Dans les années 80 et 90, les graphistes remettent ça en utilisant une typographie exagérée et crénelée pour faire « informatique ». Aujourd'hui, rien ne s'oppose à ce que les lignes et les caractères aient l'aspect lisse et parfait de la qualité d'impression. Ne laissez personne vous convaincre du contraire.

Iconographie

En 1976, Craig Fields, directeur de programme au bureau de la cybernétique à l'ARPA (et plus tard directeur de l'ARPA lui-même), a commandé un film à une entreprise d'animation informatique de New York. Le sujet était une ville du désert fictive baptisée Dar El Marar. On découvrait la ville du cockpit d'un hélicoptère qui descendait en piqué dans les rues, prenait du champ pour embrasser la ville entière, visitait les différents quartiers et se rapprochait des immeubles pour regarder à l'intérieur. Le film se comportait comme Peter Pan, non pour découvrir une ville et un monde matériel mais pour explorer un monde d'information. Le concept partait du principe que vous aviez dessiné la ville ; vous aviez bâti des quartiers d'information en stockant des données dans des bâtiments particuliers, tel un écureuil faisant provision de noisettes. Par la suite, vous récupériez l'information sur votre tapis volant, en vous rendant à l'endroit où vous l'aviez stockée.

Poète de la Grèce antique (556-469 av. J.-C), Simonide de Céos était célèbre pour sa prodigieuse mémoire. Le jour où le toit d'une salle de banquet s'est effondré juste après son départ, il s'est rendu compte qu'il pouvait identifier les corps mutilés des hôtes selon la place qu'ils occupaient : il a compris qu'on pouvait faciliter le travail de la mémoire en associant de la matière à des endroits précis dans une image spatiale mentale. Il s'est servi de cette technique pour se rappeler ses longs discours. Il associait des parties de son oraison à des objets et des endroits dans un temple. Puis, quand il prononçait son discours, il revisitait mentalement le temple pour faire appel à ses idées dans un ordre logique. Les premiers jésuites en Chine appelaient ce même procédé construire des « palais de l'esprit ».

Le principe est de naviguer dans un espace en trois dimensions pour stocker et récupérer de l'information. Certains sont doués pour cela, d'autres non.

La plupart d'entre nous se débrouillent beaucoup mieux dans deux dimensions. Pensez à votre bibliothèque. Vous êtes probablement capable de retrouver n'importe quel livre simplement en allant le chercher là où il est. Vous vous rappelez probablement son format, sa couleur, son épaisseur, et s'il est relié ou broché. Vous vous rappelez encore mieux ces informations si c'est vous qui l'avez rangé. Le propriétaire d'un bureau sur lequel règne le plus grand désordre s'y retrouvera parce que c'est lui qui aura créé ce désordre. Vous ne supporteriez pas qu'un bibliothécaire vienne classer vos livres ou qu'une femme de ménage mette de l'ordre sur votre bureau. Vous ne pourriez plus rien retrouver.

Ce sont des observations de ce genre qui ont mené au développement de ce que nous avons appelé un « système de gestion de données dans l'espace ». Installé dans une salle, ce système se composait d'un écran couleur occupant un pan de mur entier, de deux écrans de contrôle supplémentaires, d'un fauteuil spécialement équipé, entre autres accessoires, et bénéficiait d'une sonorisation octophonique. Le système offrait à l'utilisateur une interface de style canapé et l'occasion, grâce au fauteuil, de survoler des données sur un grand écran. L'utilisateur pouvait zoomer et panoramiquer librement afin de naviguer dans un paysage fictif en deux dimensions baptisé Dataland. Il pouvait entrer dans des dossiers du personnel, des correspondances, des livres électroniques, des cartes satellite, et toute une variété de nouveaux types de données (comme un clip vidéo de Peter Falk dans *Colombo* ou une série de 54 000 vues fixes d'art et d'architecture).

Dataland lui-même était un paysage de petites images illustrant la fonction ou les données auxquelles elles donnaient accès. L'agenda de l'utilisateur se trouvait derrière une image d'agenda. Si l'utilisateur conduisait le système sur l'image d'un téléphone, par exemple, il lançait un programme d'appel à l'aide du carnet d'adresses de l'utilisateur. Les icônes étaient nées. Nous avons songé un instant utiliser le mot *glyphe,* parce que la définition du mot « icône » ne convenait pas vraiment, mais le mot est resté.

Ces images de la taille d'un timbre-poste illustraient non seulement des données ou une fonction, mais chacune avait sa « place ». Comme avec des livres sur des étagères, on pouvait récupérer une chose en allant à l'endroit où elle se trouvait, en se rappelant sa place, sa couleur, sa taille, voire les sons qu'elle pourrait émettre.

Le système de gestion de données dans l'espace était tellement en avance sur son temps qu'il a fallu attendre dix ans et la naissance des ordinateurs personnels pour que certains de ses concepts puissent être appliqués. Aujourd'hui, les icônes font partie de la personnalité des ordinateurs. Actuellement, l'image d'une poubelle, d'une calculette et d'un combiné téléphonique ne surprend plus personne. En fait, dans certains systèmes, l'écran s'appelle le bureau. Le changement, c'est que les Dataland d'aujourd'hui ne s'étendent pas du sol au plafond, mais sont réduits à des « fenêtres ».

La forme des fenêtres

Je suis toujours impressionné de voir comment un nom bien choisi peut s'emparer d'un marché, laissant le consommateur avec des impressions très fausses. IBM a eu un coup de génie en appelant son ordinateur personnel le PC : *personal computer* (ordinateur personnel). Malgré plus de quatre ans de présence d'Apple sur le marché, le PC est devenu synonyme d'informatique individuelle. De même, quand Microsoft a choisi d'appeler *Windows* (fenêtres) son système d'exploitation de la seconde génération, il s'est attribué la paternité du nom, alors qu'Apple proposait de meilleures fenêtres depuis plus de cinq ans à l'époque et que de nombreux fabricants de stations de travail les utilisaient déjà largement.

Les fenêtres existent parce que les écrans d'ordinateur sont petits. De ce fait, on peut utiliser un espace de travail relativement petit pour activer simultanément plusieurs processus différents. Ce livre a été rédigé sur un écran de 9 pouces sans papier, sinon celui qui a été fourni à l'éditeur et produit par lui. Pour la plupart des gens, se servir des fenêtres est aussi naturel que de faire du vélo ; on en fait, sans même se rappeler comment on a appris.

Les fenêtres peuvent également servir de métaphore pour l'avenir de la télévision. Aux États-Unis, plus que partout ailleurs, nous avons insisté par le passé pour qu'une image de télévision remplisse tout l'écran. Mais remplir l'écran a un coût parce que tous les films et les programmes de télévision n'ont pas été créés dans le même format rectangulaire.

En fait, au début des années 50, l'industrie cinématographique s'est volontairement orientée vers plusieurs procédés destinés à des écrans plus larges (le Cinérama, le Super Panavision, le Super Technirama, la Panavision en 35 mm et le Cinémascope que nous utilisons encore aujourd'hui). Le rapport hauteur/largeur 4/3 (quatre tiers) de la télévision actuelle vient de la génération de films antérieurs à la Seconde Guerre mondiale et ne correspond pas au Cinémascope ni, d'ailleurs, au format rectangulaire de la plupart des films produits dans les quarante dernières années.

Les diffuseurs européens ont résolu la différence de rapport hauteur/largeur en recadrant l'image. Ils remplissent de noir le haut et le bas de l'écran, pour que la zone active restante ait le bon rapport hauteur/largeur. Au prix du sacrifice de quelques pixels, le spectateur voit le film dans une reproduction fidèle de la forme de chaque image. En fait, je pense que l'effet de cadrage est d'autant plus satisfaisant qu'il crée une bordure horizontale en haut et en bas de l'image plus nette que celle, incurvée, du poste de télévision.

Nous procédons rarement ainsi aux États-Unis. Pour notre part, nous « panoramiquons et balayons » quand nous transférons un film sur la vidéo, en réduisant un film pour grand écran à un format 4/3. Nous ne nous contentons pas de comprimer l'image (bien qu'on le fasse pour les titres et les génériques). Au lieu de cela, pendant le processus de transfert, pendant que le film défile dans la machine (généralement un scanner à balayage), un opérateur déplace manuellement une fenêtre de format 4/3 sur la fenêtre beaucoup plus large du film, en la faisant glisser d'un côté ou de l'autre, pour saisir les parties les plus pertinentes de chaque scène.

143

Certains cinéastes, notamment Woody Allen, refusent cette opération, mais la plupart n'ont pas l'air d'y attacher d'importance. On peut voir l'un des meilleurs exemples de l'échec de cette technique dans *Le Lauréat*. Dans la scène où Dustin Hoffman et Anne Bancroft se déshabillent, chacun à une extrémité de l'écran, l'opérateur ne peut tout simplement pas les réunir dans la même image.

Au Japon et en Europe, on pousse à l'adoption d'un nouveau rapport hauteur/largeur plus grand de 16/9 (seize neuvième), et les concurrents TVHD aux États-Unis suivent le mouvement sans broncher. En fait, un rapport hauteur/largeur de 16/9 est peut-être pire que 4/3, parce que tout le matériau vidéo existant (qui est en 4/3) va s'afficher avec des bandes verticales noires, des rideaux, de chaque côté de votre écran de format 16/9. Non seulement les rideaux sont moins utiles visuellement que le recadrage d'antan, mais cela interdit tout recours à l'autre méthode du zoom et du panoramique.

Le rapport hauteur/largeur devrait être une variable. Quand les TV ont suffisamment de pixels, le style fenêtre devient très logique. Qu'on regarde l'écran à trois mètres ou à cinquante centimètres de distance, l'expérience est la même. En fait, à l'avenir, quand vous aurez une haute résolution massive et un affichage plein mur, vous pourrez placer votre image TV sur l'écran en fonction de l'endroit où se trouvent les plantes vertes dans la pièce, au lieu de la regarder à l'intérieur d'un cadre. L'écran est le mur tout entier.

L'infographie grand public

Il y a encore cinq ans, les fabricants d'ordinateurs, dont Apple, n'étaient pas disposés à considérer le foyer comme un marché digne de ce nom. Difficile à croire. Quelques années plus tôt, le prix des actions de Texas Instruments avait grimpé en flèche quand l'entreprise avait annoncé qu'elle abandonnait le marché de la micro-informatique familiale.

En 1977, Frank Cary, président d'IBM, a annoncé aux actionnaires que la maison allait entrer dans le marché de l'électronique grand public. On a constitué un groupe de travail, selon les habitudes de la maison, qui a passé en revue toute une série de candidats dont, entre autres, les montres-bracelets. IBM s'est finalement décidé pour le micro-ordinateur. Cela a débouché sur un projet top secret, nom de code *Castle*, auquel je participais une fois par semaine en tant que conseiller. On a conçu un PC très ambitieux auquel était intégré un vidéodisque numérique.

Le très distingué concepteur industriel Elliott Noyes a créé un prototype de micro-ordinateur que nous aurions tous été fiers d'avoir chez soi vingt ans plus tard. Mais le rêve a commencé à s'effilocher. Les laboratoires de Poughkeepsie n'ont pas réussi à faire fonctionner convenablement le vidéodisque numérique d'une durée de dix heures sur support souple (basé sur la réfraction du rayon laser à travers un disque transparent et non sur la réflexion sur un disque brillant), si bien que l'on a dû séparer le PC et le vidéodisque. *Castle* était divisé.

On a envoyé la partie PC du programme dans un autre laboratoire IBM à Burlington dans le Vermont, puis à Boca Raton en Floride (le reste de l'anecdote est entré dans l'histoire). IBM a fini par abandonner le vidéodisque au profit d'un partenariat avec MCA (chose que les deux entreprises n'ont pas tardé à regretter). *Castle* était mort-né, et l'ordinateur personnel a dû attendre quelques années de plus avant de renaître dans le garage de Steve Jobs, le fondateur d'Apple.

Vers la même époque, les jeux électroniques ont introduit un genre d'informatique et de graphisme très différent. Ces produits de consommation étaient très dynamiques du fait de leur interactivité intrinsèque. En outre, leur aspect matériel et leur contenu se marient très naturellement. Les fabricants de jeux ne gagnent pas un sou avec le matériel, mais avec les jeux. C'est vraiment l'histoire des rasoirs et des lames.

Mais les fabricants de jeux, à l'instar de ces entreprises d'informatique attachées à leurs systèmes propriétaires et à présent disparues, n'ont pas encore compris qu'ils avaient intérêt à ouvrir leurs systèmes fermés pour déplacer la concurrence sur le plan de l'imagination. Sega et Nintendo ne vont pas tarder à devenir une espèce éteinte s'ils refusent de se rendre compte que les PC sont en train de leur manger la laine sur le dos.

Il faut que les concepteurs de jeux indépendants actuels prennent conscience que leurs jeux ont des chances de devenir des best-sellers s'ils sont conçus pour une plate-forme à objectif global, dont Intel prévoit de vendre cent millions d'exemplaires par an à lui tout seul. Pour cette raison, l'infographie des PC va rapidement évoluer vers ce que vous voyez aujourd'hui dans les jeux les plus sophistiqués. Les jeux sur ordinateur vont dépasser les jeux sur console spécialisée que nous connaissons aujourd'hui. La réalité virtuelle reste le seul domaine où un matériel spécialisé ait encore sa place.

9.

La réalité virtuelle

Oxymoron ou pléonasme

Selon Mike Hammer (pas le détective, mais le plus grand médecin de l'entreprise du monde), l'« entreprise évolutive » est un oxymoron qui ne va pas tarder à devenir un pléonasme. Un pléonasme est une expression redondante comme « moi, personnellement ». On peut dire qu'il s'agit du contraire même d'un oxymoron qui est une contradiction apparente comme « intelligence artificielle » ou « repas servis à bord ». Si on devait couronner les meilleurs oxymorons, la réalité virtuelle remporterait certainement la palme.

Si on considère les deux éléments de l'expression « réalité virtuelle » comme des parties égales, penser à la RV comme à un concept redondant devient plus sensé. La réalité virtuelle peut rendre l'artificiel aussi réaliste, voire plus, que le réel.

La simulation de vol, par exemple, l'application la plus ancienne et la plus sophistiquée de la RV, est plus réaliste que le pilotage d'un avion réel. À peine sortis de l'école, les pilotes peuvent prendre les commandes d'un 747 « réel » plein de passagers, parce qu'ils ont plus appris dans le simulateur qu'ils n'auraient pu en apprendre dans le véritable avion. Dans le simulateur, un pilote peut être confronté à toutes sortes de situations rares qui, dans le monde réel, seraient impossibles, ou se solderaient par une collision en vol ou l'explosion de l'appareil.

Il faudrait imposer l'usage de la RV dans les auto-écoles, voilà qui serait une application socialement responsable. Sur une route glissante, un enfant surgit entre deux voitures — aucun de nous ne sait comment il pourrait réagir. La RV permet de vivre une situation avec son propre corps.

L'idée à la base de la RV est de donner le sentiment d'« y être » en fournissant au moins à l'œil les informations qu'il recevrait s'il s'y trouvait et, surtout, de modifier l'image à l'instant même où le point de vue change. Notre perception de la réalité spatiale dépend de divers signaux visuels, comme la taille relative, la luminosité et le mouvement angulaire. L'un des plus importants est la perspective, qui est particulièrement puissante sous sa forme binoculaire dans la mesure où notre œil droit et notre œil gauche voient des images différentes. Réunir ces images en une perception en trois dimensions est la base de la vision stéréoscopique.

La perception de profondeur apportée par chaque œil qui voit une image légèrement différente, la parallaxe, convient parfaitement pour des objets très proches (à moins de deux mètres). Les objets plus éloignés envoient la même image sur les deux rétines. Vous êtes-vous jamais demandé pourquoi il y autant de mouvements d'avant en arrière au premier plan dans un film en trois dimensions, avec des objets qui volent toujours dans le public ? C'est parce que c'est là que les images stéréoscopiques marchent le mieux.

L'accessoire typique de la RV est un casque muni de lunettes spéciales, une pour chaque œil. Chaque lunette fournit une image en perspective légèrement différente de ce que vous verriez si vous y étiez. Quand vous bougez la tête, les images s'actualisent, en principe, tellement vite que vous avez la sensation de provoquer le changement (et que l'ordinateur ne fait que suivre votre mouvement, ce qu'il fait en fait). Vous avez le sentiment d'être la cause, pas l'effet.

Le degré d'impression de réalité de l'expérience visuelle dépend de l'association de deux facteurs. L'un est la qualité de l'image : le nombre de contours affichés et les textures qui les remplissent. L'autre est le temps de réaction : la vitesse à laquelle ces scènes sont actualisées. Ces deux variables consomment beaucoup de puissance de traitement et, jusqu'à récemment, sont restées hors de portée de la plupart des fabricants.

La RV date de 1968, quand Ivan Sutherland, encore lui, a construit le premier visiocasque. Des travaux ultérieurs de la NASA et du ministère de la Défense ont débouché sur des prototypes onéreux pour l'exploration spatiale et les applications militaires. Les simulateurs pour les chars et les sous-marins étaient des applications de la RV particulièrement bien adaptées, parce que, dans le réel, on voit également la situation à travers des jumelles ou un périscope.

C'est seulement maintenant que nous disposons

d'ordinateurs suffisamment puissants et bon marché que nous pouvons penser à cette technologie comme un média de loisirs grand public. Dans ce contexte, les résultats ne manqueront pas de nous surprendre.

Le commando du canapé

Jurassic Park (le parc jurassique) ferait une fabuleuse expérience de RV. En l'occurrence, il ne serait pas nécessaire d'écrire un scénario. Dans ce cas, le travail de Michael Crichton serait celui d'un concepteur de plateau ou de parc à thèmes, celui qui conférerait à chaque dinosaure apparence, personnalité, comportement et objectif. On met la simulation en route. Et on entre. Ce n'est pas de la télévision, et il n'est pas nécessaire que l'expérience soit aussi aseptisée qu'à Disneyland. Il n'y a pas de foules, pas de files d'attente, pas d'odeur de pop-corn (juste celle de la bouse de dinosaure). On a vraiment l'impression de se trouver au beau milieu d'une jungle préhistorique que l'on peut faire paraître encore plus dangereuse que toute jungle réelle.

Les générations futures d'adultes et d'enfants se distrairont de cette manière. Comme l'image est synthétisée, pas réelle, il n'est pas nécessaire de se limiter à des lieux réels ou grandeur nature. La RV vous permettra de serrer la Voie lactée dans vos bras, de nager dans le système sanguin, ou de rendre visite à Alice au pays des merveilles.

La RV actuelle a des inconvénients et des lacunes techniques qu'il faudra corriger si l'on espère un jour toucher un vaste public. Par exemple, la RV bon marché est infestée d'effets d'escalier. En cas de mouvement, les effets d'escalier sont encore plus déroutants parce qu'ils paraissent bouger, mais pas nécessairement dans la même direction que la scène. Visualisez l'horizon. Inclinez-le, légèrement, de sorte qu'une marche d'escalier apparaisse au milieu. Puis inclinez-le un peu plus. Deux marches d'escalier apparaissent, puis trois, puis plus ; ensuite elles donnent l'impression de bouger, jusqu'à que vous arriviez à un angle à 45°, où la ligne est à présent un parfait escalier composé de pixels qui occupe tout l'écran. Vilain.

En plus, la RV n'est pas assez rapide. Tous les systèmes commerciaux, notamment ceux qui ne vont pas tarder à vous être proposés par les principaux fabricants de jeux vidéo, ont un temps de retard. Quand vous bougez la tête, les images changent, mais pas assez vite. L'image est décalée.

Au début de l'infographie en trois dimensions, on a utilisé diverses lunettes stéréoscopiques pour obtenir cet effet. Il s'agissait parfois de lentilles polarisées bon marché, et parfois de volets électroniques plus chers qui exposaient alternativement chaque œil à une image différente.

Je me rappelle qu'au début où j'ai commencé à travailler avec ce genre de dispositifs, tout le monde — pas la plupart des gens, mais littéralement tout le monde —, après avoir chaussé ces lunettes pour la première fois et avoir vu les trois dimensions sur l'écran, bougeait la tête de droite à gauche, en s'attendant à ce que les images changent. Comme avec les films en trois dimensions, cela ne se produisait pas. Le mouvement de la tête n'avait aucun effet.

Cette réaction humaine, ce mouvement brusque du cou, est révélatrice. Il faut vraiment que la RV soit étroitement associée à la détection du mouvement et de la position pour permettre au spectateur et non plus seulement à la machine d'initier le changement. La vitesse à laquelle l'image est actualisée (la réaction de fréquence) a en fait plus d'importance que la résolution — un exemple qui montre bien que notre système moteur-sensoriel est tellement aigu que le moindre décalage fiche l'expérience par terre.

La plupart des fabricants vont probablement se tromper de cible et mettre sur le marché des systèmes de RV qui auront autant de résolution d'image que possible, au détriment du temps de réaction. Ils proposeraient une expérience de RV bien plus satisfaisante en affichant moins de graphisme, en lissant les images et en accélérant l'actualisation de l'image.

L'alternative est d'abandonner complètement les casques qui envoient des images en perspective à chaque œil séparément pour passer à des technologies autostéréoscopiques qui font flotter un objet réel ou une image holographique dans l'espace, devant les deux yeux.

Des têtes parlantes

Au milieu des années 70, l'ARPA a lancé un grand projet de recherche en téléconférence afin de régler un problème important de sécurité nationale. Pour être plus précis, il fallait transmettre électroniquement la sensation la plus complète possible d'une présence humaine à cinq personnes installées dans cinq endroits différents. Chacune de ces cinq personnes, séparées physiquement, devait croire que les quatre autres étaient physiquement présentes.

Les procédures d'urgence du gouvernement en cas d'attaque ou de menace d'attaque nucléaire étaient à l'origine de cet extraordinaire projet de télécommunications. Pendant les années 70, la procédure prévue était la suivante : le président des États-Unis, le vice-président, le ministre des Affaires étrangères, le chef des armées et le speaker de la Chambre des représentants se rendraient immédiatement dans un site bien connu sous une montagne de Virginie. De là, ils défendraient la nation d'une salle de contrôle (comme celle du film *War Games*), censée être à l'abri de l'attaque et des retombées radioactives.

Mais était-il bien judicieux de réunir ces cinq personnes dans un seul lieu connu ? N'était-il pas plus sûr que chacune d'elles se trouve à un endroit différent (une dans un avion, une autre dans un sous-marin, une autre sous une montagne, etc.), si elles pouvaient avoir la sensation d'être réunies physiquement ? Manifestement, oui. Pour cette raison, l'ARPA a financé la recherche sur la téléconférence, ce qui fait que mes collègues et moi nous sommes vus confier la mission de créer numériquement une « téléprésence » humaine en temps réel.

Notre solution était de reproduire quatre fois la tête de chaque participant, avec un masque translucide grandeur nature de la forme exacte de son visage.

Chaque masque était monté sur des cardans, pour lui permettre de bouger de haut en bas et de droite à gauche. Il suffisait alors de projeter une vidéo parfaitement alignée à l'intérieur du masque.

Dans chaque site se trouvaient une personne en chair et en os et quatre têtes en plastique vides assises dans le même ordre autour d'une table. L'image vidéo et la position de la tête de chaque personne étaient saisies et transmises. Si le président se tournait vers le vice-président pour lui parler, le ministre des Affaires étrangères voyait leurs têtes respectives faire ce mouvement à l'endroit où il se trouvait. Étrange, sans aucun doute.

Le résultat paraissait si vrai qu'un amiral m'a confié que les « têtes parlantes » lui donnaient des cauchemars. Il préférait de loin un télégramme en capitales du président lui disant FEU à la tête branlante du commandant en chef sur la passerelle de son porte-avions. Sa réaction est bizarre quand on sait que sa paranoïa lui faisait douter que l'image vidéo et la voix fussent bien celles du président (et non quelqu'un se faisant passer pour lui). Un télégramme est tellement plus facile à maquiller.

Nous ne saurons probablement pas comment décomposer, transmettre et recomposer les gens (ou les sandwichs au jambon et les pulls en cachemire) avant un ou deux millénaires. Mais, dans l'intervalle, on verra de nombreuses techniques d'affichage qui s'éloigneront des écrans plats ou presque plats auxquels nous nous sommes tellement habitués. Le cadre des écrans va devenir moins étriqué pour les images grandes et petites. Certains des appareils numériques les plus imaginatifs du futur n'auront pas de cadre du tout.

R2D2 en 3-D

Un jour ou l'autre au prochain millénaire, nos petits-enfants ou arrière-petits-enfants regarderont un match de football (s'ils appellent ça comme ça) assis autour de la table basse (s'ils l'appellent comme ça), avec des joueurs hauts de vingt centimètres qui se passeront un ballon de deux centimètres de diamètre dans le salon. Ce modèle est l'opposé exact de l'approche RV du début. Toute la résolution existe partout de n'importe quel point de vue. Où que vous regardiez, vous voyez des pixels en trois dimensions (parfois appelés « voxels » ou « boxels ») flottant dans l'espace.

Dans *Star Wars*, R2D2, le petit robot, faisait apparaître ainsi Princess Leia sur le plancher d'Obi-Wan Kenobi. La belle princesse était une apparition spectrale projetée dans l'espace, visible (en principe) de n'importe quel angle. Cet effet spécial, comme bien d'autres du même genre dans *Star Trek* et autres films de science-fiction, a créé sans le vouloir un public blasé pour des technologies comme l'holographie. Elles donnent tellement une impression de déjà-vu qu'on les croit plus simples qu'elles ne le sont.

En fait, il a fallu plus de vingt ans à Stephen Benton, professeur au MIT, l'inventeur de l'hologramme visible à la lumière naturelle (courant aujourd'hui sur les cartes de crédit), pour obtenir le même résultat en utilisant la puissance d'un superordinateur d'un million de dollars, une optique spécialisée pratiquement sans prix, et l'inépuisable énergie d'une douzaine de brillants étudiants en doctorat.

L'holographie a été inventée par le savant hongrois Dennis Gabor en 1948. En simplifiant à l'extrême, un hologramme est la réunion de toutes les vues possibles d'une scène dans un plan unique de lumière modulée. Quand ensuite la lumière passe à travers ce plan ou est réfléchie par lui, la scène est optiquement reconstruite dans l'espace.

L'holographie a été un invité suprise dans la course à l'amélioration des affichages. L'une des raisons en est que l'holographie nécessite une résolution massive. Votre TV est censéc avoir 480 lignes visibles (elle en a probablement beaucoup moins). Si votre écran de TV mesure dix pouces (environ 20 cm), cela signifie (dans le meilleur des cas) que vous avez au moins 50 lignes par pouce. L'holographie nécessite près de 50 000 lignes par pouce, c'est-à-dire mille fois plus de lignes horizontales. Pis encore, la résolution est à la fois en X et en Y, si bien que c'est mille fois au carré, ou un million de fois la résolution d'aujourd'hui. Si vous voyez des hologrammes sur vos cartes de crédit, voire sur les billets de banque de certains pays, c'est parce que la résolution de telles images nécessite une technologie très pointue, qui se prête mal à la contrefaçon.

Au lieu de réfléchir à la question en partant de l'hologramme et de son potentiel, Benton et ses collègues se sont demandé quelles étaient les informations vraiment nécessaires pour l'œil humain ; voilà pourquoi ils ont progressé. Comme le client est l'œil humain en l'occurrence, il serait stupide de lui offrir plus de détails qu'il ne peut en percevoir. Benton a également remarqué que l'on pouvait regarder l'image spatiale en trois dimensions (échantillonnage dans l'espace) un peu comme on voit les trames individuelles dans un film (échantillonnées dans le temps). La vidéo offre un mouvement lisse à environ 30 images (60 trames) par seconde. Donc, au lieu de demander à un hologramme de représenter tous les points de vue, pourquoi ne pas représenter un point de vue toutes les quelques fractions de centimètre et laisser de côté les données intermédiaires ? Cela marche.

En outre, Benton et ses collègues ont remarqué que notre sens de la spatialité était largement horizontal. À cause de la parallaxe, et parce que nous avons tendance à nous déplacer surtout dans des plans horizontaux, la parallaxe horizontale domine bien plus comme indice spatial que la parallaxe verticale (changement de haut en bas). Si nos yeux étaient placés l'un au-dessus de l'autre ou si nous passions notre vie à grimper dans les arbres, ce ne serait pas le cas. En fait, notre perception met tellement l'accent sur l'horizontal que Benton en a conclu qu'il pouvait complètement laisser de côté la parallaxe verticale.

Pour cette raison, presque aucun des hologrammes présentés au Media Lab n'a de parallaxe verticale. Quand je montre aux visiteurs la petite galerie d'exemples devant le laboratoire de Benton, ils ne les remarquent même pas. En fait, une fois prévenus, les gens s'accroupissent ou se hissent sur la pointe des pieds plusieurs fois avant d'y croire vraiment.

Le résultat de la combinaison de l'échantillonnage spatial avec la prise en compte de la seule parallaxe horizontale fait que le groupe de Benton n'a besoin que de dix millièmes de la puissance de traitement nécessaire pour un hologramme à la résolution parfaite. Pour cette raison, ils ont réussi la première vidéo holographique en temps réel d'images couleur ombrées qui flottent librement dans l'espace. Elle a à peu près la taille d'une tasse à thé ou d'une princesse Leia un peu boulotte.

L'œil n'est pas tout seul

La qualité d'un écran dépasse l'expérience visuelle puisque cela implique d'autres sens. La sensation collective est effectivement plus grande que la somme de ses parties.

Au début de la TVHD, le sociologue Russ Neuman, alors au Media Lab, a fait une expérience pour évaluer la réaction du public devant la qualité de l'image. Il a projeté les mêmes cassettes avec deux postes de TV et deux magnétoscopes absolument identiques, d'une excellente qualité. Toutefois, dans un cas (A), il a utilisé la qualité sonore normale du magnétoscope et des minuscules haut-parleurs de la TV. Dans l'autre cas (B), il s'est servi d'une qualité sonore supérieure à celle du CD avec d'excellents haut-parleurs.

Les résultats ont été étonnants. La plupart des spectateurs ont jugé que l'image était bien meilleure sur B. La qualité de l'image était en fait la même. Mais l'expérience visuelle était considérablement meilleure. Nous avons tendance à analyser nos expériences comme un tout sensoriel, non en fonction de ses parties. On oublie parfois cette observation importante dans la conception des systèmes de RV.

Dans la conception de simulateurs de chars, on a déployé des efforts considérables pour obtenir la meilleure qualité d'affichage possible (sans lésiner sur la dépense), si bien qu'on avait vraiment l'impression de regarder la scène de la petite lunette d'un char. Parfait. Ce n'est qu'après avoir tout fait pour augmenter toujours le nombre de lignes que les concepteurs ont songé à introduire une plate-forme de mouvement bon marché qui vibrait un peu. En ajoutant d'autres données sensorielles — le bruit du moteur du char et des chenilles —, on a atteint un degré de réalisme tel que les concepteurs ont pu réduire le nombre de lignes ; qui reste encore tellement supérieur au nombre requis que le système a l'air réel.

On me demande souvent pourquoi je garde mes lunettes de vue à table, parce que je n'ai pas besoin de lunettes pour manger ce qu'il y a dans mon assiette. Je réponds toujours que les plats ont meilleur goût quand je les vois. Voir la nourriture contribue manifestement à la qualité d'un repas. La vue et le toucher se complètent.

10.

Regarder et sentir

Regardez-vous

Les ordinateurs personnels sont moins capables de sentir la présence humaine que des toilettes modernes ou des projecteurs extérieurs munis de détecteurs de mouvement simples. Votre appareil autofocus bon marché en sait plus long sur ce qui est devant lui que n'importe quel terminal ou ordinateur.

Quand vous lâchez le clavier de votre ordinateur, il ne sait pas si vous vous interrompez pour réfléchir, pour répondre à un appel de la nature ou aller déjeuner. Il ne sait pas si vous êtes seul ou plusieurs devant lui. Il ne sait pas non plus si vous êtes en chemise de nuit, en tenue de soirée, ou dans le plus simple appareil. Vous pourriez très bien lui tourner le dos à l'instant même où il vous montre quelque chose d'important, ou être hors de portée de voix quand il vous parle.

Aujourd'hui, nous réfléchissons seulement à la manière dont on pourrait faciliter l'utilisation d'un ordinateur à l'être humain. Peut-être serait-il temps de se demander ce qui faciliterait la tâche des ordinateurs dans leurs rapports avec l'homme. Comment pouvez-vous, par exemple, avoir une conversation avec des gens, si vous ignorez même qu'ils sont là ? Vous ne pouvez pas les voir et vous ne savez pas combien ils sont. Ont-ils le sourire ? Sont-ils attentifs ? Nous ne cessons de parler d'interactions et de dialogues homme/ordinateur, tout en étant prêts à laisser l'un des interlocuteurs de ce dialogue complètement dans le noir. Il est temps d'apprendre à voir et à entendre aux ordinateurs.

En matière de vision par ordinateur, les recherches et les applications ont presque été exclusivement consacrées à l'analyse scénique, notamment à des fins militaires, pour des véhicules autonomes et des bombes intelligentes. Les applications dans l'espace sont aussi des impératifs qui font progresser la recherche. Si vous faites marcher un robot sur la Lune, il ne peut se contenter de transmettre l'image qu'il voit à un opérateur humain sur terre, parce qu'il faut trop de temps au signal pour voyager, même à la vitesse de la lumière. Si le robot arrive au bord d'un précipice, le temps que l'opérateur humain ait vu l'image vidéo de la dénivellation et renvoie le message à la Lune pour lui dire de s'arrêter, il sera tombé dedans. En l'occurrence, il faut que le robot soit capable d'interpréter ce qu'il voit.

Les scientifiques ont régulièrement progressé en matière de compréhension d'images et ont mis au point des techniques, par exemple, pour extraire une forme d'un ombrage ou dissocier des objets de leurs arrière-plans. Ils s'intéressent depuis peu à la reconnaissance de l'homme par l'ordinateur afin d'améliorer l'interface homme/ordinateur. En fait, votre visage est votre écran, et votre ordinateur devrait être capable de le lire, ce qui exige qu'il puisse reconnaître vos traits et vos expressions.

Nos mimiques sont étroitement liées à ce que nous voulons exprimer. Quand nous parlons au téléphone, notre visage ne s'immobilise pas tout simplement parce que notre interlocuteur ne peut pas le voir. En fait, il nous arrive parfois d'accentuer nos expressions et de gesticuler encore plus, pour donner du poids à nos paroles. En détectant nos expressions, l'ordinateur accède à un signal redondant et simultané qui peut enrichir les messages parlés et écrits.

La reconnaissance de la voix et des expressions constitue un défi technique formidable ; il n'empêche qu'il est du domaine du possible dans certains contextes. Dans des applications qui vous impliquent vous et votre ordinateur, la machine a seulement besoin de savoir que c'est bien vous qui vous adressez à elle, et non n'importe qui.

Les ordinateurs vont probablement vous regarder plus vite qu'on ne le croit. En 1990-1991, quand la guerre du Golfe a interdit aux hommes d'affaires de se déplacer librement, la téléconférence a fait un bond en avant. Depuis, les ordinateurs personnels sont le plus souvent équipés de matériel de téléconférence bon marché.

Le matériel de téléconférence se compose d'une caméra TV centrée au-dessus de l'écran et du matériel nécessaire pour coder, décoder et afficher une image en temps réel sur une partie ou sur la totalité de l'écran d'ordinateur. Les ordinateurs personnels vont de plus en plus être équipés pour la visionique. Les concepteurs des systèmes de téléconférence n'ont pas songé à utiliser la caméra pour que l'ordinateur personnel puisse profiter d'une communication en face à face, mais pourquoi pas ?

Des souris et des hommes

Neil Gershenfeld, de Media Lab, compare une souris à 30 dollars, dont on apprend à se servir en quelques minutes, à un archet de violoncelle de 30 000 dollars, dont la parfaite maîtrise demande une vie entière. Il compare les seize techniques de l'archet au clic, au double-clic et au déplacement de la souris. L'archet est fait pour le virtuose, et la souris pour le commun des mortels.

Une souris est un accessoire simple mais peu maniable en graphisme. Il faut procéder en quatre étapes : 1) tâtonner pour trouver la souris ; 2) déplacer la souris pour trouver le curseur ; 3) placer le curseur à l'endroit voulu et 4) cliquer. La conception novatrice du PowerBook d'Apple a au moins le mérite de réduire à trois ces quatre étapes et place la « souris immobile » (« boule de pointage » ou plus récemment « pavé tactile ») à l'endroit même où se trouvent vos pouces, si bien que cela réduit les interruptions de frappe.

Là où les souris et les boules de pointage sont carrément inutilisables, c'est pour le dessin. Essayez donc de signer avec une boule de pointage ! Pour cet usage, une tablette graphique, une surface plane avec un stylet du type pointe Bic, est une bien meilleure solution.

Les ordinateurs munis d'une tablette pour dessiner sont rares. Ceux qui en possédent un sont confrontés au problème schizophrénique de placer convenablement et la tablette et le clavier, puisque chacun se dispute le centre et veut être directement devant et sous l'écran. On résout souvent le conflit en plaçant le clavier en dessous de l'écran parce que beaucoup de gens (dont moi) ne savent pas taper au toucher, sans regarder leurs doigts.

Du fait que la tablette graphique est décalée et la souris sur le côté, nous devons nous initier à une coordination de la main et des yeux assez inhabituelle. On dessine ou on pointe à un endroit tout en regardant vers un autre, c'est du dessin au toucher, en quelque sorte.

Douglas Englebart a inventé la souris en 1964 pour pointer du texte, pas un dessin. L'invention a fait école ; on voit des souris partout actuellement. Jane Alexander, présidente de la Fondation nationale pour les Arts, a récemment fait remarquer qu'il n'y avait qu'un homme pour baptiser cela une souris.

Un an plus tôt, Ivan Sutherland avait perfectionné le concept du crayon optique pour dessiner directement sur l'écran (dans les années 50, le système de défense SAGE utilisait des crayons assez grossiers). Le crayon suivait un curseur en forme de croix constitué de cinq points de lumière. Pour s'arrêter de dessiner, il fallait relever brusquement le poignet et perdre volontairement le suivi — une manière astucieuse mais pas très précise de finir une ligne.

165

Aujourd'hui, on ne trouve pratiquement plus de crayons optiques. Lever la main vers un écran est une chose (il est difficile de tenir longtemps, parce que la main s'ankylose), mais tenir à bout de bras un stylo de soixante grammes fatigue terriblement. Dans certains cas, les crayons optiques faisaient trois centimètres de diamètre, si bien qu'on avait l'impression d'écrire sur une carte postale avec un cigare.

Les tablettes sont particulièrement pratiques pour dessiner et, en faisant un peu d'effort, on pourrait donner aux stylets la texture et la richesse d'un pinceau d'artiste. Pour l'instant, les stylets donnent le plus souvent l'impression (au toucher) d'être des sortes de pointes Bic sur une surface plate et dure. En outre, cela veut dire que c'est un accessoire de plus qui a besoin d'être placé à la fois près de l'utilisateur et de l'écran. Comme nos bureaux sont déjà très encombrés, les tablettes n'ont une chance de devenir populaires que si les fabricants se mettent à les intégrer à l'ordinateur de bureau, pour qu'on ait tout en un.

L'informatique hautement tactile

Le doigt est le candidat surprise pour le pilotage graphique.

Les distributeurs de billets automatiques et les kiosques d'information utilisent à présent des écrans tactiles avec un certain bonheur. En revanche, le doigt ne touche pratiquement jamais l'écran d'un microordinateur, ce qui est assez ahurissant quand on pense que le doigt est un dispositif de pointage qu'il n'est pas nécessaire de saisir et que nous en avons cinq à chaque main. Avec un doigt, on peut taper, pointer, passer du plan horizontal au vertical. Mais l'idée n'a pas pris. Voici les trois raisons que l'on avance, mais je n'en crois pas une seule.

« Quand vous désignez une chose du doigt, vous la couvrez. » Exact, mais cela se produit aussi avec un crayon et du papier, et cela n'a empêché personne de continuer à pratiquer l'écriture ou à utiliser un doigt pour montrer quelque chose sur une page.

« Le doigt est à faible résolution. » Faux. Il peut être gros et court, mais il a une résolution extraordinaire. Il faut simplement, une fois qu'on l'a posé sur la surface, ajouter une étape supplémentaire, à savoir bouger doucement le doigt pour placer exactement un curseur.

« Le doigt salit l'écran. » Mais il peut aussi le nettoyer ! Les écrans tactiles seront toujours plus ou moins sales, même si cela ne se voit pas à l'œil nu, selon le degré de propreté des doigts de l'utilisateur.

En réalité, on n'utilise pas le doigt parce qu'on n'a pas encore trouvé le moyen de détecter sa proximité : quand il est tout près de l'écran mais ne le touche pas. Sans état intermédiaire entre le doigt *sur* l'écran et *tout près* de l'écran, de nombreuses applications sont malcommodes dans le meilleur des cas. En revanche, si un curseur apparaissait dès que votre doigt se trouve à quelques millimètres de l'écran, toucher l'écran lui-même serait l'équivalent du clic d'une souris.

Une dernière caractéristique des doigts est que les sillons qui constituent votre empreinte digitale se comportent également comme les sculptures d'un pneu neige et créent une friction quand la peau rencontre le verre. C'est cette adhérence qui vous permet en fait de faire pression sur l'écran.

Sur un dispositif mis au point au MIT il y a vingt ans, nous avons démontré que, par une pression sans déplacement du doigt, on créait suffisamment de friction pour déplacer des objets, les pousser et les tirer, voire les faire tourner. Un prototype affichait des boutons sur l'écran que l'on pouvait toucher avec deux ou trois doigts et faire tourner par la seule adhérence des doigts sur l'écran. Non seulement les boutons tournaient mais ils le faisaient avec un clic, ce qui ajoutait encore au réalisme. Les applications possibles englobent tout, des jeux pour enfants à la simplification d'un cockpit d'avion.

L'interface riposte

On a couramment utilisé des manipulateurs à distance dans des environnements toxiques pour l'homme, comme les réacteurs nucléaires. Le bras du robot se trouvait à l'intérieur du réacteur, contrôlé de l'extérieur par l'opérateur humain. En général, les bras du maître et de l'esclave étaient très éloignés l'un de l'autre, et l'opérateur surveillait les opérations sur une image TV. L'extrémité esclave était généralement munie d'une griffe actionnée à l'extrémité maître par le pouce et l'index de l'opérateur, ce qui permettait de saisir des objets ; de cette manière, on pouvait évaluer le poids et l'élasticité (au cas où) d'un morceau d'uranium.

Fred Brooks et ses collègues de l'université de Caroline du Nord ont eu une merveilleuse idée : ils ont imaginé que le bras de l'esclave n'existait pas, mais que les fils qui y conduisaient étaient reliés à un ordinateur simulant toute l'expérience. Les objets que vous voyez alors sur l'écran ne sont pas réels, mais modélisés et affichés par l'ordinateur avec toutes les caractéristiques de poids et d'élasticité.

On a presque exclusivement réfléchi aux propriétés tactiles d'un ordinateur du point de vue de l'homme, et non l'inverse.

J'ai participé à la mise au point du premier prototype d'une machine qui vous résiste, un appareil à retour d'effort pour lequel on pouvait modifier à loisir l'effort requis pour le mouvoir. Sous le contrôle d'un ordinateur, il pouvait soit se mouvoir librement, soit donner l'impression d'être poussé dans de la mélasse. Une des applications était une carte du Massachusetts avec des données démographiques. L'utilisateur pouvait réfléchir au projet d'une autoroute en déplaçant ce numériseur à retour d'effort. Toutefois, la quantité de force nécessaire pour le pousser variait en fonction du nombre de familles à déplacer. En fait, on pouvait littéralement tracer les yeux fermés le chemin de moindre résistance à une nouvelle autoroute.

En lançant le petit bouton rouge (un substitut pour la souris) au milieu du clavier de son *ThinkPad*, IBM s'est ouvert la voie de ce type d'application à retour d'effort (parce que en l'occurrence il s'agit plus de résistance à l'effort que de réaction au déplacement). On peut espérer qu'on verra bientôt partout des ordinateurs hautement tactiles, dès que les applications auront suffisamment évolué pour qu'on ait l'impression que le petit bouton rouge du ThinkPad résiste et pousse à son tour.

Alan Kay (qui est considéré comme le père du micro) a fait la démonstration d'un autre exemple chez Apple. L'un de ses chercheurs a conçu une souris « têtue » qui utilisait un champ magnétique d'intensité variable pour rendre son déplacement plus ou moins difficile. Quand on mettait tout le « jus » magnétique, la souris s'arrêtait net et ne bougeait plus, empêchant le curseur d'entrer dans des zones interdites.

Regarder l'ordinateur dans les yeux

Imaginez qu'en lisant un écran d'ordinateur vous puissiez lui demander : Qu'est-ce que cela veut dire ? Qui est-elle ? Comment me suis-je retrouvé là ? Ces différents compléments d'objet, de lieu, ou de manière sont définis par l'endroit où se pose votre regard à l'instant où vous parlez. Vos questions portent sur le point de contact entre vos yeux et le texte. On ne considère normalement pas les yeux comme des périphériques de sortie, ce qui ne nous empêche pas de ne cesser de les utiliser comme tel.

La meilleure façon de décrire la manière dont les hommes sentent le regard d'un autre et établissent un contact oculaire est encore de dire que cela tient de la magie. Mettons que vous soyez à cinq mètres d'une personne qui vous regarde de temps en temps droit dans les yeux et qui regarde de temps en temps par-dessus votre épaule. Vous pouvez instantanément faire la différence même si l'axe de son regard ne s'est déplacé que de quelques degrés. Comment cela s'explique-t-il ?

Il ne s'agit sûrement pas de trigonométrie qui consisterait à calculer l'angle d'une perpendiculaire par rapport au plan des globes oculaires de l'autre, puis à calculer si cette perpendiculaire coupe votre propre ligne de vue. Non. Il circule autre chose — un message passe entre vos yeux et ceux de cette personne. Nous n'avons pas la moindre idée de la façon dont cela marche.

Nous nous servons constamment de nos yeux pour désigner quelque chose. Quand on vous demande où est parti quelqu'un, vous pouvez répondre en regardant une porte ouverte. Pour expliquer à un porteur ce qu'il doit porter, vous posez les yeux sur une valise et non sur une autre. Si elle s'accompagne d'un geste de la main, cette manière de désigner les choses peut être un canal de communication très efficace.

On dispose de plusieurs technologies pour suivre le mouvement des yeux. L'une des premières démonstrations était un appareil monté sur la tête qui suivait le mouvement des yeux et traduisait le texte sur l'écran de l'anglais en français pendant sa lecture. À mesure que les yeux se déplaçaient de mot en mot, on voyait des mots français apparaître, et l'écran semblait être totalement en français. Un spectateur, dont le mouvement des yeux n'était pas suivi, voyait, quant à lui, un texte en anglais à 1 % près (à savoir tous les mots à l'exception de celui que regardait la personne appareillée).

Des systèmes de suivi de regard plus modernes utilisent des caméras de télévision à distance, si bien que l'utilisateur n'est pas obligé de porter un appareil quelconque. Un système de téléconférence convient particulièrement bien au suivi du regard, parce que l'utilisateur a tendance à être assis plus ou moins en face de l'écran à une distance relativement constante. En outre, avec ce système, on regarde souvent son interlocuteur dans les yeux (parce que l'ordinateur peut savoir où se portent les regards).

Plus l'ordinateur en sait sur votre position, votre posture et la nature particulière de vos yeux, plus il lui est facile de savoir dans quelle direction vous regardez. L'ironie, c'est que ce média apparemment exotique des yeux-périphérique d'entrée va trouver sa première application dans la configuration assez banale d'une personne assise devant un ordinateur.

Cela marchera encore mieux quand on l'utilisera en même temps qu'un autre périphérique d'entrée — le langage.

11.

Et si nous en parlions ?

Au-delà des mots

Pour la plupart des gens, taper sur un clavier n'est pas l'interface idéale. Si nous pouvions parler à notre ordinateur, même les plus allergiques d'entre nous s'en serviraient avec davantage d'enthousiasme. Pourtant, les ordinateurs sont toujours plus ou moins sourds et muets. Pourquoi ?

Le peu de progrès accomplis en reconnaissance de la parole tient plus à un manque d'imagination qu'à des lacunes technologiques. Quand je vois des présentations de reconnaissance vocale ou des publicités avec des gens qui ont un micro collé à la bouche, je me pose la question suivante : aurait-on oublié que l'un des principaux intérêts de la parole est qu'elle laisse les mains libres ? Quand je vois des gens, le visage frôlant presque l'écran — en train de parler — je me pose la question suivante : aurait-on oublié que l'on se sert de la voix parce qu'elle permet justement, entre autres choses, de communiquer à distance ? Quand j'entends des gens réclamer ou exiger une reconnaissance de la parole indépendante de l'utilisateur, je me pose la question suivante : aurait-on oublié que nous nous adressons à des ordinateurs personnels, et non partagés ? Pourquoi faut-il donc que tout le monde ait l'air de s'attaquer aux mauvais éléments du problème ?

C'est simple. Jusqu'à récemment, nous nous sommes laissé guider par deux stupides obsessions. La première était un héritage des communications téléphoniques classiques : il fallait qu'à tout moment, où que l'on se trouve, on puisse décrocher un téléphone pour donner des instructions à un ordinateur au lieu de converser avec un opérateur humain — auquel cas peu importait que vous parliez avec un accent du Midi ou un accent du Nord. La seconde obsession venait de l'automatisation du bureau : on rêvait d'une machine à écrire parlante, à laquelle on pourrait parler en continu et qui transcrirait parfaitement nos paroles. En nous focalisant là-dessus, nous avons pris un retard de plusieurs années dans la poursuite d'autres objectifs plus accessibles (et plus utiles) : la reconnaissance et la compréhension du langage parlé dans un environnement hautement personnalisé et interactif.

Nous avons aussi oublié la valeur de la voix en soi, au-delà des mots qu'elle prononce. Par exemple, les ordinateurs actuels requièrent une attention absolue. Généralement, il faut être assis et s'occuper plus ou moins exclusivement du processus et du contenu de l'interaction. Il est pratiquement impossible d'utiliser un ordinateur « en passant » ou de le faire participer à une conversation parmi d'autres. La reconnaissance vocale va changer tout cela.

174

Pouvoir se servir d'un ordinateur qui ne soit pas à portée de main est également très important. Imaginez un peu que pour parler à quelqu'un vous deviez avoir le nez collé dessus. Nous parlons souvent aux gens d'une pièce à une autre, d'une certaine distance, nous pouvons nous détourner un instant pour faire autre chose, et il n'est pas rare qu'on continue à parler même si on ne voit plus son interlocuteur. Je veux un ordinateur qui soit « à portée d'oreille », ce qui nécessite de résoudre le problème de séparer la parole d'autres bruits ambiants, comme celui d'un climatiseur ou d'un avion qui passe au-dessus de la maison.

La parole est également plus que des mots parce qu'elle transporte des sous-ensembles d'information parallèles. Quiconque a un enfant ou un animal familier sait que la façon de dire quelque chose a parfois beaucoup plus d'importance que ce que l'on dit. L'intonation fait toute la différence. Les chiens, par exemple, réagissent presque exclusivement au ton de la voix et n'ont qu'une capacité innée très limitée de se livrer à une analyse de texte complète, malgré ce que prétendent les propriétaires fascinés de ces chères petites bêtes.

Le mot dit est porteur de beaucoup plus d'informations que le mot en soi. On peut exprimer la passion, le sarcasme, l'exaspération, l'équivoque, l'obséquiosité et l'épuisement en utilisant exactement les mêmes mots. Dans la reconnaissance de la parole par des ordinateurs, on a ignoré ces nuances ou, pire, on les a traitées comme des erreurs plutôt que comme des caractéristiques. Elles sont toutefois ce qui fait que la parole est un média plus riche que la frappe.

Trois dimensions de la reconnaissance de la parole

Si vous maîtrisez convenablement mais pas parfaitement une langue étrangère, vous vous rendrez compte qu'écouter un bulletin d'information à la radio entrelardé de parasites est très dur, voire impossible. En revanche, celui qui parle couramment cette langue sera au pire agacé par le bruit de fond. La reconnaissance et la compréhension sont intimement liées.

À l'heure actuelle, les ordinateurs ne sont pas doués de compréhension au sens où vous et moi pourrions nous accorder pour dire que nous comprenons la signification de quelque chose. Si, à l'avenir, les ordinateurs vont sans aucun doute devenir plus intelligents, pour l'instant, nous sommes obligés de résoudre le problème de la reconnaissance par la machine en sachant que sa compréhension est limitée. Si l'on sépare ces deux tâches, on trouve un moyen évident de traduire des mots parlés en instructions compréhensibles pour l'ordinateur. Le problème de la reconnaissance de la parole a trois variables : l'étendue du vocabulaire, le degré d'indépendance vis-à-vis de l'orateur, et les liens entre les mots, le fait que l'on articule plus ou moins bien quand on parle à un rythme normal.

Mettons que l'on représente ces dimensions de la reconnaissance de la parole par trois axes. Sur l'axe du vocabulaire, moins il y a de mots à reconnaître, plus la tâche de l'ordinateur est simple. Si le système sait d'avance qui parle, le problème est encore plus simple. Et si les mots sont énoncés distinctement, c'est également plus simple.

L'origine de ces trois axes est le vocabulaire le plus restreint complètement dépendant de l'orateur, dont les mots doivent être énoncés avec des pauses distinctes. Quand nous nous déplaçons sur un axe, en enrichissant le vocabulaire, par exemple, en adaptant le système à n'importe quelle voix, ou en permettant aux mots de s'agglutiner, le problème se complique de plus en plus. Dans le cas extrême, nous attendons de l'ordinateur qu'il reconnaisse n'importe quel mot, dit par n'importe qui, à « n'importquel » degré de clarté. On croit souvent qu'il faut se trouver à l'extrémité de la plupart ou de tous ces axes pour que la reconnaissance de la voix soit d'une utilité quelconque. C'est absurde !

Examinons chacun de ces axes. En ce qui concerne la taille du vocabulaire, on pourrait se demander ce qui est nécessaire dans l'absolu : cinq cents, cinq mille ou cinquante mille mots ? Mais il faudrait plutôt poser la question en ces termes : combien la mémoire de l'ordinateur doit-elle contenir de mots à un moment donné ? Cette question suggère que l'on décompose les vocabulaires en sous-ensembles contextuels, de sorte que l'on puisse entrer des blocs de mots dans l'ordinateur selon le besoin. Quand je demande à mon ordinateur de passer un coup de téléphone, on charge mon carnet d'adresses. Quand je prévois un voyage, on charge les noms des destinations.

Si on définit la taille du vocabulaire comme l'ensemble de mots nécessaires à un moment donné (appe-

lons-les des « fenêtres de mots »), alors l'ordinateur a
besoin de faire une sélection à partir d'un nombre de
mots beaucoup moins impressionnant : plus proche
des cinq cents que des cinquante mille.

Le besoin supposé d'indépendance vis-a-vis de l'orateur est une exigence de la compagnie du téléphone
d'antan, quand un ordinateur central devait être capable de comprendre n'importe qui, être une sorte de
« service universel ». Aujourd'hui, l'informatique est
beaucoup plus répandue et personnalisée. Il est beaucoup plus facile d'identifier les périphéries du réseau :
le micro-ordinateur, le combiné téléphonique, ou une
carte à puce. Si je veux communiquer avec l'ordinateur d'une compagnie aérienne à partir d'une cabine
téléphonique, je peux appeler mon micro ou sortir
mon ordinateur de poche et lui laisser le soin de traduire ma voix en un signal lisible par une machine.

Les mots qu'on avale, les liaisons dangereuses, sont
le troisième problème à résoudre. Il n'est pas question
de s'adresser à un ordinateur, comme un touriste
parle à un enfant étranger, en articulant bien et en
s'interrompant entre chaque mot. Cet axe est le plus
dur à régler, mais on peut simplifier le problème en
partie en considérant le langage comme un énoncé
d'ensembles de mots, non de mots isolés. En fait, la
compréhension « demotsagglutinés » sera certainement un élément de la personnalisation et de la formation de votre ordinateur.

Le problème de la reconnaissance vocale devient
plus simple quand on considère la parole comme un
média d'échange et d'interaction.

Le paraverbe

La parole est un média souvent rempli de sons qu'on ne trouve pas dans un dictionnaire. Non seulement la parole est plus riche en nuances qu'un texte en noir et blanc, mais elle peut gagner en sens grâce à certains éléments du discours, euh, c'est-à-dire, enfin, euh, le paraverbe, quoi !

En 1978, au MIT, nous avons utilisé un système de reconnaissance de la parole évolué, dépendant de l'orateur, qui, comme il arrive à tous les systèmes de ce genre, commettait des erreurs quand la voix qui parlait trahissait le stress le plus infime. Il était hors de question que le système ait une défaillance le jour où nos étudiants le présenteraient à nos sponsors. Malheureusement, l'anxiété de l'étudiant chargé de la présentation transparaissait dans sa voix, si bien que le système ne donnait jamais les résultats escomptés.

Quelques années plus tard, un autre étudiant a eu une idée géniale : repérer les pauses dans le discours de l'orateur et programmer la machine pour qu'elle fasse « euh ! » aux bons endroits. Ainsi, quand on s'adressait à la machine, elle faisait périodiquement des euh, des ah, etc. C'était tellement rassurant (on avait l'impression que la machine encourageait l'utilisateur à converser) que l'utilisateur se détendait, si bien que la performance du système était excellente.

Ce concept a révélé deux points importants : 1) tout ce que l'on dit ne doit pas forcément avoir un sens sur le plan lexical pour compter dans la communication ; 2) certains mots ne sont que des protocoles de conversation. Quand vous êtes au téléphone, si vous ne dites pas « hum, oui » à votre interlocuteur à intervalles réguliers, il va finir par vous demander si vous êtes toujours là. Le « hum » ne veut pas dire « oui », « non » ou « peut-être », mais sert avant tout à transmettre un bit d'information : « Je suis là ».

Le théâtre de la conversation

Imaginez la situation suivante. Vous êtes en train de dîner avec des gens qui parlent tous français, sauf vous. Votre connaissance de cette langue se limite à une malheureuse année au lycée. Se tournant vers vous, un des convives vous demande : « Voulez-vous encore du vin ? » Vous comprenez parfaitement. Ensuite, ce même convive se lance dans un débat sur la politique française. Vous ne comprendrez rien à moins de parler couramment français (et même dans ce cas, ce n'est pas sûr).

Vous pourriez penser que cela s'explique parce que la question est une phrase d'une simplicité enfantine, alors qu'un débat sur la politique requiert une plus grande maîtrise de la langue. C'est vrai. Mais là n'est pas l'important.

À l'instant où votre voisin de table vous a demandé si vous repreniez du vin, il avait probablement le bras tendu vers la bouteille et les yeux fixés sur votre verre vide. En d'autres termes, vous avez décodé des signaux parallèles et redondants, pas seulement acoustiques. En outre, tous les sujets et les objets se trouvaient dans le même espace-temps. Voilà ce qui vous a permis de comprendre.

Répétons-le, la redondance a du bon. L'utilisation de canaux parallèles (le geste, le regard et la parole) est l'essence de la communication humaine. On emploie naturellement des moyens d'expression simultanés. Si vous n'avez qu'une connaissance modeste de l'italien, vous aurez beaucoup de mal à converser avec des Italiens au téléphone. En revanche, si vous vous rendez compte qu'il n'y a pas de savon dans votre chambre d'hôtel, vous n'allez pas décrocher votre téléphone ; vous allez descendre à la réception pour demander du savon en vous servant de votre meilleur italien Assimil. Vous mimerez peut-être même quelqu'un en train de se savonner.

Dans un pays étranger, on se sert de tous les moyens disponibles pour transmettre ses intentions et pour décrypter tous les signaux afin de comprendre un tant soit peu ce qui se passe. Essayez de voir les choses sous cet angle : votre ordinateur se trouve dans un pays étranger — le vôtre.

Faire bien parler les ordinateurs

Un ordinateur peut reproduire la parole de deux manières : en repassant une voix préalablement enregistrée ou en synthétisant les sons de lettres, de syllabes, ou (plus vraisemblablement) de phonèmes. Chaque méthode a ses avantages et ses inconvénients. Produire de la parole ressemble au problème de la musique : vous pouvez stocker le son en mémoire (comme le fait un CD) et le repasser ou vous pouvez le synthétiser pour le reproduire à partir des notes (comme le fait un musicien).

La relecture d'une parole mise en mémoire donne la communication orale et auditive la plus naturelle, notamment si la parole mémorisée est un message complet. Pour cette raison, la plupart des messages téléphoniques sont enregistrés de cette manière. Quand on essaie de recoller de plus petits blocs préenregistrés de sons ou des mots séparés, le résultat est moins satisfaisant parce que le rythme global manque.

Dans le temps, on hésitait à trop se servir de parole préenregistrée pour l'interaction homme-ordinateur parce que cela consommait énormément de mémoire. Aujourd'hui, c'est moins grave.

Le vrai problème est évident. Pour qu'une parole mémorisée donne un résultat, il faut l'enregistrer au préalable. Si vous voulez que votre ordinateur prononce correctement des noms propres, par exemple, il faut commencer par les entrer en mémoire. En l'occurrence, il n'est pas question d'improviser. Dans ce cas, on utilise la seconde méthode, la synthèse vocale.

Un synthétiseur de parole prend un texte continu (comme cette phrase) et suit certaines règles pour énoncer chaque mot, un par un. Le degré de difficulté de la synthétisation varie selon les langues.

L'anglais est l'une des moins simples à synthétiser parce que sa transcription est bizarre et apparemment illogique (deux mots peuvent se prononcer de la même façon sans avoir le même sens). D'autres langues, comme le turc, présentent beaucoup moins de difficultés. En fait, le turc est très facile à synthétiser depuis qu'Atatürk a fait transcrire l'arabe en alphabet latin en 1929, si bien que chaque lettre correspond à un son. Chaque lettre est prononcée : il n'y a ni lettres muettes ni diphtongues déroutantes. De ce fait, le turc est le rêve pour un synthétiseur vocal.

Même si la machine peut énoncer chaque mot, il reste un problème. Il est très difficile de donner à une série de mots synthétisés un rythme naturel, ce qui est important si l'on veut que cela sonne bien mais aussi que l'expression et le ton s'accordent non seulement au contenu mais à l'intention sous-jacente. Sinon, on obtient une voix monocorde qui ressemble à celle d'un Suédois ivre.

Nous voyons (et entendons) maintenant des systèmes qui associent synthèse et mémoire. Comme pour tout ce qui touche le numérique, la solution à long terme sera d'utiliser les deux.

Grand et petit

Au prochain millénaire, nous allons nous rendre compte que nous parlons autant, voire plus, avec des machines qu'avec des êtres humains. On est souvent mal à l'aise quand il s'agit de s'adresser à des objets inanimés. Cela ne nous dérange pas le moins du monde de parler à des chiens et à des canaris, mais c'est une autre histoire quand il s'agit de boutons de portes ou de lampadaires (à moins que nous ne soyons complètement ivres). Ne vais-je pas me sentir un peu bête de parler à un grille-pain ? Probablement pas plus

183

que la première fois que je me suis adressé à un répondeur.

La miniaturisation va accélérer le développement de l'ubiquité de la parole. Les ordinateurs sont de plus en plus petits. Demain, vous aurez certainement au poignet ce qui trône sur votre bureau aujourd'hui et remplissait une pièce hier.

De nombreux utilisateurs du micro-ordinateur ne mesurent pas l'énorme réduction de taille qui s'est opérée au cours des dix dernières années, parce qu'on s'efforce de conserver autant que possible une constance à certaines dimensions, la taille du clavier, par exemple, alors que d'autres, la taille de l'écran, par exemple, ont plutôt tendance à s'agrandir qu'à diminuer. De ce fait, un ordinateur de bureau n'est globalement pas moins encombrant qu'un Apple II d'il y a quinze ans.

Si cela fait longtemps que vous ne vous êtes pas servi d'un modem, l'évolution de sa taille est un bien meilleur indice du véritable changement qui s'est produit. Il y a moins de quinze ans, un modem à 1 200 bauds (coûtant environ 1 000 dollars) était presque de la taille d'un grille-pain. Aujourd'hui, un modem à 19 200 bauds tient sur une petite carte. Même à ce format carte de crédit, toute la surface n'est pas utilisée et n'existe que pour des raisons de forme (il faut que cela soit assez gros pour ne pas vous échapper des doigts). Ce n'est plus pour des raisons technologiques qu'on ne fait pas tenir un modem sur une tête d'épingle, mais pour des raisons pratiques ; rien n'est plus facile que d'égarer une épingle.

Une fois qu'on laisse de côté la contrainte de l'écartement naturel de vos doigts, ce qui détermine le confort d'utilisation d'un clavier, la taille d'un ordinateur dépend plus de la taille d'une poche, d'un portefeuille, d'une montre-bracelet, d'une pointe Bic, etc. Sous ces formes-là, quand on sait que le format carte de crédit est la plus petite taille acceptable, l'écran ne peut être que minuscule, si bien qu'on ne peut plus parler d'interface graphique avec l'utilisateur.

Les systèmes à stylets vont probablement faire figure de solution intérimaire peu commode, parce qu'ils sont à la fois trop gros et trop petits. Les boutons sont également une alternative inacceptable. Pensez à la télécommande de votre téléviseur ou de votre magnétoscope, voilà un bon exemple des limites des boutons, faits pour des mains de Pygmées et des yeux très jeunes.

Pour toutes ces raisons, cette tendance à la miniaturisation va certainement contribuer à faire de la production et de la reconnaissance de parole l'interface dominante avec les petits objets. Le moindre bouton de manchette ou bracelet de montre ne sera pas nécessairement doué de reconnaissance de la parole. Mais de petits appareils pourront télécommuniquer pour demander de l'assistance. L'important est de se dire que, plus on réduit l'échelle, plus la voix prend d'importance.

Toucher quelqu'un

Il y a de nombreuses années, le directeur de la recherche chez Hallmark, le fabricant de cartes de vœux, m'a expliqué que leur principal concurrent était AT&T. Le slogan d'AT&T : « Tendre la main pour toucher quelqu'un », fait allusion à l'émotion qui transperce dans la voix. Le canal vocal transporte non seulement le signal, mais tous les traits concomitants qui font que l'on est compréhensif, déterminé, plein de compassion ou de pardon. La voix transporte des informations sur les sentiments sous-jacents.

De la même manière que nous décrochons notre téléphone pour toucher quelqu'un, nous allons utiliser la voix pour signifier nos désirs aux machines. Certains adopteront une attitude d'adjudant-chef avec leur ordinateur, d'autres seront la voix de la raison. La parole et la délégation sont étroitement liées. Allez-vous donner des ordres aux Sept Nains ?

C'est probable. Il n'est pas du tout impossible que, dans vingt ans, vous parliez à un groupe d'assistants holographiques de vingt centimètres de haut arpentant votre bureau. En revanche, il est sûr que la voix sera notre premier canal de communication avec nos agents d'interface.

12.

Moins, c'est plus

Des majordomes numériques

En décembre 1980, Jerome Wiesner et moi avons été les hôtes pour la nuit de Nobutaka Shikanai dans sa ravissante maison de campagne de la région d'Hakone, non loin du Fuji-Yama. Nous étions tellement convaincus que, son empire dans les médias ne pouvant que bénéficier de sa participation au lancement du Media Lab, M. Shikanai serait disposé à participer à son financement. En outre, nous pensions que la passion de M. Shikanai pour l'art contemporain allait dans le sens de notre rêve de mêler la technologie à l'expression, d'associer l'invention et l'usage créatif de nouveaux médias.

Avant le dîner, nous sommes allés visiter la célèbre collection d'art en plein air de M. Shikanai qui, pendant la journée, est le musée d'Hakone. Le secrétaire privé de M. Shikanai s'est joint à nous pour le dîner, jouant les interprètes parce que nos hôtes ne parlaient pas un mot d'anglais. Wiesner a lancé la conversation en évoquant son grand intérêt pour l'œuvre de Calder et la collaboration du MIT avec ce grand artiste. Le secrétaire a écouté l'histoire jusqu'au bout, puis l'a traduite intégralement à un M. Shikanai très attentif. À la fin, M. Shikanai a réfléchi et, après un silence, nous a regardés et a émis un long « Ohhhh ».

Le secrétaire a alors traduit : « M. Shikanai dit qu'il apprécie lui aussi beaucoup le travail de Calder et qu'il a fait ses plus récentes acquisitions à l'occasion de... » Attendez un peu. D'où tirait-il tout cela ?

Ce petit jeu s'est poursuivi pendant la plus grande partie du dîner. Wiesner disait quelque chose, le secrétaire traduisait intégralement, la réponse se réduisait plus ou moins à un même « Ohhhh », lui-même traduit longuement. Ce soir-là, je me suis dit que, si je voulais vraiment construire un ordinateur personnel, il fallait qu'il soit aussi doué que le secrétaire de M. Shikanai. Il faudrait qu'il soit capable de dilater et de contracter des signaux en se fondant sur une telle connaissance intime de moi-même et de mon environnement que je pourrais me contenter de me répéter la plupart du temps.

La meilleure métaphore que je puisse imaginer pour une interface homme-ordinateur est celle d'un majordome anglais bien stylé. L'« agent » répond au téléphone, reconnaît les interlocuteurs, vous dérange quand c'est nécessaire, et peut même faire un pieux mensonge à votre place. Ce même agent sait toujours choisir le bon moment et il respecte vos petites manies. Les gens qui connaissent le majordome ont un avantage considérable sur un parfait inconnu. Très bien.

Peu de gens ont la chance d'avoir de tels agents humains. L'équivalent le plus répandu est la secrétaire. Une personne qui vous connaît bien et qui partage la plupart de vos informations peut agir en votre nom avec beaucoup d'efficacité. Si votre secrétaire tombe malade, cela ne vous avancera pas à grand-chose que l'agence d'intérim vous envoie Einstein. Le QI n'a rien à voir là-dedans. En l'occurrence, il s'agit d'un savoir partagé et de l'art de l'utiliser au mieux de vos intérêts.

Il n'y a pas si longtemps, intégrer ce genre de fonction dans un ordinateur tenait du rêve tellement impossible que personne ne prenait ce concept au sérieux. C'est en train de changer, et vite. Aujourd'hui, il y a suffisamment de gens pour croire qu'il est possible de construire de tels « agents d'interface ». Pour cette raison, les agents intelligents sont devenus le sujet de recherche le plus à la mode en matière de conception de l'interface homme-ordinateur. Il est devenu évident que les gens veulent déléguer davantage de fonctions et préfèrent réduire les manipulations directes avec les ordinateurs.

L'idée est de construire des ordinateurs de substitution dotés d'une masse de connaissances sur un sujet donné (un procédé, un domaine d'intérêt, une façon de faire) ainsi que sur le rapport que vous entretenez avec ce sujet (vos goûts, vos inclinations, vos relations). En d'autres termes, l'ordinateur devrait avoir un double savoir-faire, comme un cuisinier, un jardinier et un chauffeur qui se serviraient de leurs compétences pour répondre à vos goûts et à vos besoins en matière de nourriture, de plantations et de conduite. Quand vous déléguez ces tâches, cela ne veut pas dire que vous n'aimiez pas faire la cuisine, planter des fleurs ou conduire des voitures. Cela signifie que vous pouvez le faire si vous le souhaitez, parce que vous en avez envie et non parce que vous y êtes obligé.

De même avec un ordinateur. Entrer dans un système, suivre des protocoles et trouver votre adresse Internet ne m'intéresse pas vraiment. Ce que je veux, c'est vous faire parvenir mon message. Je ne tiens pas non plus à être obligé de consulter des milliers de serveurs (BBS : *Bulletin Board Services*) pour être sûr de ne pas rater quelque chose. Que mon agent d'interface s'en charge donc à ma place !

Les majordomes numériques seront nombreux, et ils vivront à la fois dans le réseau et à vos côtés, à la fois au centre et à la périphérie de votre propre organisation (grande ou petite).

J'aime bien chanter les louanges de mon « messager de poche » qui a l'art de ne me livrer que des informations ad hoc, au moment voulu, dans un texte clair et une langue parfaite, et dont le comportement est si intelligent. Une seule personne connaît son numéro, et tous les messages transitent par elle qui sait où je suis, ce qui est important pour moi, et qui je connais. L'intelligence se trouve à l'extrémité émettrice du système, pas à sa périphérie, ni dans le récepteur lui-même.

Mais il faut qu'il y ait aussi de l'intelligence à l'extrémité réception. J'ai récemment reçu la visite du PDG d'une grosse entreprise accompagné de son assistant qui portait le messager de poche du PDG et lui passait ses messages aux moments les plus opportuns. Bientôt, le tact, le sens du timing et la discrétion de l'assistant seront des éléments intégrés du « messager de poche ».

Des filtres personnels

Imaginez qu'on vous livre un journal électronique chez vous sous la forme de bits. Partez du principe qu'il est envoyé à un écran magique, mince comme une feuille de papier, étanche, sans fil, léger, et lumineux. On résoudra vraisemblablement le problème de l'interface en faisant appel aux années d'expérience de l'humanité en matière de titres et de mise en page, de trouvailles typographiques, d'images, et à une multitude de techniques pour faciliter l'exploration. Si c'est bien fait, ce sera un superbe support d'information. Dans le cas contraire, ce sera l'enfer.

Une autre façon de voir un journal est de le considérer comme une interface avec les informations. Au lieu de lire ce que d'autres gens estiment être des informations dignes de l'espace qu'elles occupent, le numérique va modifier le modèle économique de la sélection d'informations, donner un plus grand rôle à vos intérêts, et, en fait, récupérer des articles coupés au montage parce que la demande n'était pas assez forte.

Imaginez qu'un jour votre agent d'interface puisse lire tous les télex, tous les journaux, capter toutes les émissions de TV et de radio de la planète, et vous faire un résumé personnalisé. Ce genre de journal n'existe qu'à un seul exemplaire.

On ne lit pas le journal de la même façon le lundi

matin ou le samedi après-midi. À 7 heures du matin un jour ouvrable, vous feuilletez un journal pour filtrer l'information et personnaliser un tronc commun de bits qui ont été envoyés à des centaines de milliers de gens. La plupart des gens ont tendance à mettre au panier des cahiers entiers sans y jeter un coup d'œil, à feuilleter le reste et à lire très peu d'articles jusqu'au bout.

Que se passerait-il si un journal était disposé à mettre l'ensemble de son équipe éditoriale à votre entière disposition pour un numéro ? Il mêlerait les grands titres de l'actualité à des faits « moins importants » concernant vos relations, les gens que vous verrez demain, et les endroits où vous vous apprêtez à aller ou d'où vous rentrez. Il vous informerait sur les entreprises que vous connaissez. En fait, dans ces conditions, vous seriez disposé à payer beaucoup plus pour dix pages que pour cent pages à votre quotidien, si vous pouviez être sûr qu'il vous livre les bons sous-ensembles d'information. Vous en dévoreriez tous les bits (façon de parler). Appelons-le « Mon Monde ».

Le samedi après-midi, en revanche, vous aurez peut-être plus envie de prendre connaissance des nouvelles au hasard, d'apprendre des choses dont vous n'auriez jamais soupçonné qu'elles puissent vous intéresser, d'essayer de remplir une grille de mots croisés, de rire un bon coup avec votre animateur préféré, et de trouver de bonnes affaires grâce aux petites annonces. Voilà « Notre Monde. » Un samedi après-midi pluvieux, vous n'aurez certainement pas envie d'avoir affaire à un agent d'interface tendu, bien déterminé à supprimer le matériau apparemment inutile.

192

Ce ne sont pas deux états distincts, blanc et noir. Nous avons tendance à naviguer entre les deux et, selon le temps disponible, l'heure et notre humeur, nous attendons des degrés différents de personnalisation. Imaginez un écran affichant un bulletin d'information muni d'un bouton qui, comme le bouton du volume, vous permette de moduler la personnalisation. Vous pourriez avoir de nombreuses commandes de contrôle de ce genre, dont un curseur qui se déplace littéralement et politiquement de gauche à droite pour modifier des articles concernant des affaires d'intérêt général.

Ces commandes changent votre ouverture sur l'information, non seulement en termes de taille mais aussi en termes de ton éditorial. Dans un avenir lointain, les agents d'interface pourront lire, écouter et regarder chaque nouvelle dans son intégralité. Dans un proche avenir, le processus de filtrage se fera par l'intermédiaire d'« en-têtes », ces bits sur des bits.

Des belles-sœurs numériques

Le fait qu'il soit de notoriété publique que *TV Guide* fait plus de bénéfices que les quatre chaînes de télévision réunies laisse entendre que l'information sur l'information a peut-être une plus grande valeur que l'information elle-même. Quand nous pensons à de nouveaux modes de livraison de l'information, nous avons tendance à nous encombrer de concepts comme le « grappillage d'informations » et le « zapping ». Ce genre de concept n'est pas à l'échelle. Avec un millier de chaînes, si vous zappez de l'une à l'autre en ne restant que quelques secondes sur chacune, il va vous falloir près d'un heure pour toutes les passer en revue. Le temps que vous décidiez quelle émission est la plus intéressante, elle risque fort d'être terminée.

Quand je veux aller au cinéma, au lieu de lire des critiques, j'interroge ma belle-sœur. Nous avons tous un proche qui, à la fois, est un expert en cinéma et sait très bien qui nous sommes. C'est une belle-sœur numérique qu'il nous faut.

En fait, l'« agent » humain possède un savoir-faire et vous connaît bien. Un bon agent de voyages connaît non seulement des hôtels et des restaurants, mais aussi vos goûts (il se rappelle ce que vous avez pensé d'autres hôtels et restaurants). Un agent immobilier se fait une idée de vous à partir des diverses maisons qu'il vous a montrées et qui vous ont plus ou moins plu. Imaginez un agent répondant au téléphone, un agent triant les informations ou encore un agent gérant le courrier électronique. Leur point commun est leur capacité à construire de vous un modèle.

Cela va plus loin que de remplir un questionnaire ou d'avoir un profil déterminé une bonne fois pour toutes. Les agents d'interface doivent apprendre et se développer avec le temps, comme des amis et des assistants humains. C'est facile à dire, mais moins facile à faire. Cela ne fait pas si longtemps que nous commençons à comprendre les modèles informatiques capables d'en apprendre sur leurs utilisateurs.

Chaque fois que je parle d'agents d'interface, on me demande : « Vous voulez dire l'intelligence artificielle ? » La réponse est oui, manifestement. Mais dans cette question, on sent le doute né des grandes promesses non tenues de l'intelligence artificielle par le passé. En outre, de nombreuses personnes ne sont pas encore à l'aise avec l'idée que des machines seront intelligentes.

Alan Turing a été le premier à évoquer sérieusement l'intelligence de la machine dans son article « Informatique et Intelligence » publié en 1950. D'autres pionniers, comme Marvin Minsky, marchant sur les traces de Turing, se sont également intéressés à l'intelligence artificielle pure. Ils s'interrogent sur la reconnaissance du contexte, la compréhension de l'émotion, l'appréciation de l'humour, et le passage d'un jeu de métaphores à un autre. Par exemple, quelles lettres sont la suite logique d'une série commençant par U, D, T, Q, C ?

L'intelligence artificielle a peut-être souffert du fait que, vers 1975, des ordinateurs ont commencé à avoir la puissance nécessaire pour résoudre des problèmes intuitifs et faire montre d'un comportement intelligent. Dès lors, les scientifiques ont opté pour des applications faisables et commercialisables, comme la robotique et les systèmes experts (c'est-à-dire les nouvelles boursières et la réservation de billets d'avion), laissant ainsi de côté les problèmes plus profonds et plus fondamentaux de l'intelligence et de l'apprentissage.

Minsky ne rate pas une occasion de rappeler que, si aujourd'hui les ordinateurs sont capables de gérer avec la plus parfaite maîtrise des systèmes de réservations aériennes (un sujet qui dépasse presque l'entendement), ils sont absolument incapables de faire preuve du bon sens d'un enfant de trois ou quatre ans. La recherche commence à s'intéresser à des questions comme le bon sens, ce qui est très important parce qu'un agent d'interface sans bon sens serait une vraie plaie.

À propos, la réponse à la question est S, S. La série est déterminée par la première lettre des chiffres quand vous comptez : un, deux, trois, quatre, etc.

Décentralisation

On prête souvent à l'interface de l'avenir l'aspect d'une machine centralisée et omnisciente à la Orwell. Il s'agira plus vraisemblablement d'une série de programmes informatiques et d'appareils personnels, chacun assez bon dans une tâche et très bon pour communiquer avec les autres. Cette vision des choses s'inspire de *La Société de l'esprit* (1987), où Minsky suggère que l'intelligence ne se trouve pas dans une quelconque unité centrale, mais dans le comportement collectif d'un vaste groupe de machines spécialisées hautement interconnectées.

Ce point de vue s'oppose à l'ensemble de préjugés que, dans son livre publié en 1994, *Turtles, Termites, and Traffic Jams,* Mitchel Resnick appelle la « mentalité centralisée ». Nous sommes tous fortement conditionnés pour attribuer des phénomènes complexes à une sorte d'agence centrale de contrôle. Nous croyons tous, par exemple, que l'oiseau en tête d'un vol en V est celui qui dirige les opérations et que les autres ne font que suivre le mouvement. Pas du tout. Cette formation ordonnée est le résultat d'un ensemble très sensible de processeurs hautement interactifs individuels qui respectent de simples règles d'harmonie sans conducteur. Resnick le démontre en créant des situations dans lesquelles les gens sont surpris de se rendre compte qu'ils participent à un processus de ce genre.

Dernièrement, j'ai assisté à une démonstration de Resnick au Kresge Auditorium au MIT. Il a demandé au public constitué d'environ 1 200 personnes de se mettre à taper dans leurs mains à l'unisson. Sans la moindre intervention de Resnick, moins de deux secondes après, la salle frappait dans ses mains à l'unisson. Essayez vous-même ; même avec des groupes beaucoup plus petits, le résultat peut être étonnant. La surprise des participants montre bien combien nous comprenons, voire repérons, mal l'émergence d'une cohérence à partir de l'activité d'agents indépendants.

Cela ne veut pas dire que l'agent de votre emploi du temps va se mettre à organiser des réunions sans consulter votre agent de voyages. Mais il n'est pas nécessaire que toutes les communications et les décisions viennent demander l'autorisation d'agir à une autorité centrale, ce qui ne serait pas très commode pour gérer un système de réservation de billets d'avion, mais cette méthode est de plus en plus considérée comme une bonne manière de gérer des organisations et des gouvernements. Une structure décentralisée pratiquant l'intercommunication est beaucoup plus résistante et a plus de chances de survivre et d'évoluer.

Pendant longtemps, la décentralisation a été un concept plausible impossible à mettre en œuvre. La présence des fax sur la place Tian'anmen est un exemple grinçant, parce qu'on a fait appel à des instruments décentralisés et répandus depuis peu à l'instant même où le gouvernement chinois tentait de réaffirmer son pouvoir centralisé. L'Internet est un canal de communications mondial qui bat en brèche toute forme de censure et prospère surtout dans des endroits comme Singapour, où la liberté de la presse est marginale et les réseaux omniprésents.

La gent des agents d'interface va devenir aussi décentralisée que l'information et les organisations. Comme un commandant d'armée envoyant un éclaireur en reconnaissance, vous dépêcherez des agents pour recueillir l'information pour vous. Des agents dépêcheront des agents. C'est de la démultiplication. Mais souvenez-vous comment cela a commencé : cela a commencé à l'interface à laquelle vous avez délégué vos désirs, au lieu de plonger dans le *World Wide Web*.

Cette vision de l'avenir se distingue d'une approche ergonomique de la conception de l'interface. Le « look and feel » de l'interface compte assurément, mais cela joue un rôle mineur par comparaison avec l'intelligence. En fait, l'une des interfaces les plus couramment utilisées sera le (ou les deux) minuscule petit trou percé dans du plastique ou du métal, par lequel votre voix atteindra un petit micro.

Il est aussi important de souligner que l'approche de l'agent d'interface est très différente de la passion actuelle pour Internet et Mosaic. Les mordus d'Internet peuvent zapper, explorer d'énormes masses d'information, et s'adonner à toutes sortes de nouvelles formes de socialisation. Ce phénomène incroyablement répandu n'est pas près de se calmer ou de disparaître, mais ce n'est qu'un type de comportement qui ressemble plus à la manipulation directe qu'à la délégation.

Nos interfaces varieront. La vôtre ne ressemblera pas à la mienne, puisqu'elle reposera sur nos intérêts respectifs en matière d'information, nos habitudes de loisirs, et notre comportement social — tous issus de la vaste palette de la vie numérique.

Troisième partie

LA VIE NUMÉRIQUE

13.

L'ère de la postinformation

Au-delà des données démographiques

On a tellement et si longtemps parlé du passage de l'ère industrielle à l'ère postindustrielle ou ère de l'information que nous n'avons peut-être même pas remarqué que nous sommes en train d'entrer dans l'ère de la postinformation. L'ère industrielle, essentiellement une ère d'atomes, nous a apporté le concept de la production de série, avec un système économique fondé sur la fabrication à l'aide de méthodes uniformes et répétitives en un lieu et dans un espace temps donné. L'ère de l'information, l'ère des ordinateurs, a permis les mêmes économies d'échelle, mais en étant moins dépendante des dimensions espace et temps. La fabrication de bits pouvait se produire n'importe où, n'importe quand, et, par exemple, se déplacer entre les Bourses de New York, Londres et Tokyo comme s'il s'agissait de trois machines-outils installées dans le même atelier.

À l'ère de l'information, les médias sont devenus à la fois plus grands et plus petits. De nouvelles formes de diffusion nées avec CNN et USA Today ont touché

203

des publics plus vastes et élargi la notion de diffusion. Les magazines ciblés, les ventes de vidéocassettes et les services de câble étaient des exemples de diffusion restreinte, s'adressant à de petits groupes démographiques. Les médias sont effectivement devenus à la fois plus gros et plus petits.

Dans l'ère de la postinformation, le public se réduit parfois à une unité. Tout est fabriqué sur commande, et l'information est extrêmement personnalisée. Que l'individualisation soit une extrapolation de la diffusion ciblée est une opinion largement répandue — on passe d'un petit groupe à un autre plus petit, pour finir à l'individu. Dès que vous avez mon adresse, ma situation de famille, mon âge, mes revenus, la marque de ma voiture, mes achats, mes préférences en matière d'alcool, et mes impôts, vous m'avez moi — une unité démographique, un ménage.

Cette ligne de raisonnement passe complètement à côté de la différence qui existe entre la diffusion ciblée et le numérique. En étant numérique, je suis moi, pas un sous-ensemble statistique. Ce « moi » recouvre des informations et des événements qui n'ont aucune signification démographique ou statistique. L'endroit où habite ma belle-mère, la personne avec qui j'ai dîné hier soir, ou l'heure à laquelle mon avion décolle de Richmond cet après-midi sont des données que l'on ne peut pas exploiter sur une base statistique pour créer des services de diffusion restreinte adaptés.

Mais cette information unique à mon sujet détermine les services d'informations que j'aimerais peut-être recevoir à propos d'une petite ville inconnue, une personne pas très célèbre, et (pour aujourd'hui) les prévisions météo en Virginie. Les données démographiques classiques ne conviennent pas à l'individu numérique. Penser à l'ère de l'information en termes de démographie infinitésimale ou de diffusion ultraciblée est à peu près aussi personnalisé que le hamburger chez Burger King.

La véritable personnalisation est à notre portée. Plus qu'une question de préférer un jour les cornichons à la moutarde, l'ère de la postinformation est une question de connaissance durable : les machines auront une compréhension aussi subtile (voire plus) que les êtres humains de notre personnalité, de nos particularités (comme le fait de toujours porter une chemise rayée bleue) et des événements, bons et mauvais, qui ponctuent notre vie.

Par exemple, informée par l'agent du marchand de vins, une machine pourrait attirer votre attention sur la vente d'un chardonnay particulier dont elle sait qu'il a été apprécié la dernière fois par les hôtes que vous recevrez à dîner le lendemain soir. Elle pourrait vous rappeler de laisser votre voiture dans un garage proche de l'endroit où vous vous rendez parce que la voiture lui a signalé qu'elle avait besoin de nouveaux pneus. Elle pourrait découper une critique sur un nouveau restaurant parce que vous allez dans la ville où il se trouve dans dix jours, et, que, par le passé, vous avez paru d'accord avec ce critique gastronomique. Vous êtes pris en compte en tant qu'individu, non en tant qu'élément d'un groupe susceptible d'acheter une certaine marque de savon ou de dentifrice.

L'abolition des limites géographiques

De la même façon que l'hypertexte supprime les limites de la page imprimée, l'ère de la postinformation va éliminer les limites géographiques. Dans le numérique, se trouver dans un lieu précis à un moment précis aura moins d'importance, et la transmission du lieu lui-même va commencer à être possible.

Si je pouvais vraiment voir les Alpes de ma fenêtre électronique de mon salon à Boston, entendre les cloches de vaches, et sentir le purin (numérique) en été, j'aurais vraiment l'impression d'être en Suisse. Si, au lieu d'aller travailler en conduisant mes atomes en ville, je me branche sur mon bureau et que je fasse mon travail électroniquement, où se trouve exactement mon lieu de travail ?

À l'avenir, nous disposerons des technologies de télécommunications et de réalité virtuelle nécessaires pour permettre à un médecin de Houston de pratiquer une opération délicate sur un patient en Alaska. Dans un avenir plus proche, cependant, il faudra encore qu'un chirurgien du cerveau se trouve dans la même salle d'opération et au même moment que le cerveau opéré ; de nombreuses activités, telles celles des intellectuels, moins dépendantes du temps et du lieu, aboliront les frontières géographiques bien plus tôt.

Aujourd'hui, les écrivains et les gestionnaires trouvent pratique et bien plus agréable de préparer leurs manuscrits ou de gérer leurs portefeuilles aux

Caraïbes ou dans le Pacifique Sud. Toutefois, dans certains pays comme le Japon, cette dépendance à l'espace et au temps mettra plus de temps à disparaître, parce que la culture japonaise lutte contre cette tendance. (Par exemple, l'une des principales raisons pour lesquelles le Japon n'a pas adopté l'heure d'été est que rentrer chez soi « après la nuit tombée » est jugé indispensable, et les ouvriers s'efforcent de ne pas arriver plus tard ou de ne pas partir plus tôt que leur patron.)

À l'ère de la postinformation, comme on peut vivre et travailler dans un ou plusieurs endroits, le concept de l'« adresse » prend un nouveau sens.

Quand vous êtes abonné à *America Online, CompuServe* ou *Prodigy,* vous connaissez votre propre adresse sur le courrier électronique, mais vous ne savez pas où elle se situe physiquement. Non seulement vous ignorez où se trouve *@aol.com,* mais quiconque envoie un message à cette adresse n'a aucune idée de l'endroit où elle se trouve ni de l'endroit où vous vous trouvez. L'adresse ressemble finalement plus à un numéro de Sécurité sociale qu'à un numéro de rue. C'est une adresse virtuelle.

Pour ma part, il se trouve que je sais où se situe physiquement mon adresse, *@hq.media.mit.edu.* C'est une machine Unix de dix ans d'âge installée dans un placard près de mon bureau. Mais quand des gens m'envoient des messages, ils les envoient à moi, pas à ce placard. Ils peuvent en déduire que je suis à Boston (ce qui n'est généralement pas le cas). En fait, je suis le plus souvent dans un autre fuseau horaire, si bien que non seulement la notion d'espace mais aussi de temps est modifiée.

Être asynchrone

Une conversation en tête à tête ou au téléphone est en temps réel et synchrone. On joue au jeu du cache-cache téléphonique pour trouver une occasion d'être synchrones. L'ironie veut que l'on s'y prête souvent pour des échanges qui ne requièrent absolument pas d'être synchrones et pourraient très bien être traités en différé. Historiquement, la communication asynchrone, l'envoi de lettres, avait une nature plus formelle et laissait moins de place à l'improvisation. Cela change avec la messagerie vocale et les répondeurs.

J'ai rencontré des gens qui prétendent qu'ils ne peuvent pas comprendre comment ils (et nous tous) ont pu vivre sans répondeur chez soi et sans messagerie vocale au bureau. En l'occurrence, c'est moins l'enregistrement de la voix qui a un intérêt que le fait qu'on peut traiter le message quand on veut, en différé. On laisse un message au lieu d'impliquer inutilement quelqu'un dans une conversation en direct. En fait, les répondeurs sont un peu en retard sur le plan de la conception. Non seulement ils devraient se mettre en marche quand vous n'êtes pas là ou ne souhaitez pas être là, mais ils devraient toujours répondre au téléphone et donner à celui qui appelle l'occasion de ne laisser qu'un message.

L'une des grandes séductions du courrier électronique, c'est qu'il ne crée pas d'interruption comme le téléphone. Vous pouvez le lire quand vous le souhaitez, et, pour cette raison, il peut vous arriver de répondre à des messages qui n'auraient pas l'ombre d'une chance de franchir le barrage de la secrétaire dans la vie téléphonique des entreprises.

Le courrier électronique connaît une explosion de popularité parce que c'est un média à la fois asynchrone et lisible par un ordinateur. Ce dernier point est d'autant plus important que des agents d'interface vont utiliser ces bits pour classer et livrer les messages différemment. L'auteur et le contenu du message pourraient déterminer le moment où vous en prenez connaissance — comme ce qui se passe à l'heure actuelle avec le barrage de la secrétaire qui vous passe directement votre fille de six ans, pendant que le PDG de l'entreprise Machin est mis en attente. Même un jour ouvrable agité, des messages personnels en courrier électronique ont des chances de se retrouver au-dessus de la pile.

Toutes nos communications n'ont pas besoin de se faire en temps réel. Nous sommes constamment interrompus ou obligés d'être ponctuels pour des choses qui le ne méritent franchement pas. Nous sommes obligés d'avoir des rythmes réguliers, non pas parce que nous terminons notre repas à 20 h 50, mais parce que le film de la soirée commence une minute après. Nos arrière-petits-enfants comprendront que nous nous rendions au théâtre à une heure précise pour profiter de la présence physique des acteurs, mais pas que, dans l'intimité de la maison, nous recevions des signaux de télévision de manière synchrone — jusqu'à ce qu'ils se penchent sur l'étrange modèle économique qui sous-tend ce phénomène.

À la demande

Dans la vie numérique, la diffusion en temps réel n'occupera qu'une très petite place. Avec une diffusion numérique, on peut non seulement décaler les bits dans le temps, mais il n'est pas nécessaire de les recevoir dans l'ordre ni au rythme auxquels on les consommera. Par exemple, il sera possible de livrer une heure de vidéo par la fibre en une fraction de seconde (certaines expériences actuelles montrent que le temps nécessaire pour livrer une heure de vidéo de qualité VHS peut se réduire à un centième de seconde). Ou bien, par le simple fil téléphonique ou sur une bande de fréquence radio étroite, vous pourriez utiliser six heures de temps de diffusion nocturne pour transmettre une émission d'information vidéo (personnalisée) de dix minutes. La première méthode déverse un flot de bits dans votre ordinateur, la seconde lui injecte des bits au goutte-à-goutte.

Au vu des progrès de la technologie, on peut penser que la TV et la radio de l'avenir seront livrées de manière asynchrone, à l'exception peut-être de programmes comme les rencontres sportives et les résultats d'élections. Cela se passera soit à la demande, soit en utilisant le « broadcatching », néologisme fabriqué en 1987 par Stewart Brand dans son livre sur le Media Lab. On pourrait traduire cette expression par la « pêche au gros ». On aura affaire à un véritable fleuve de bits, qui contiendra vraisemblablement de grandes quantités d'informations envoyées dans l'éther ou dans une fibre optique. À l'extrémité réception, un ordinateur récoltera les bits, les examinera, et ne conservera que ceux dont il pensera que vous voudrez les consommer plus tard.

L'information à la demande va dominer la vie numérique. Nous allons demander explicitement et implicitement ce que nous voulons, quand nous le voulons. Il va falloir repenser radicalement la programmation financée par la publicité.

En 1993, quand nous avons lancé le Media Lab, le sentiment général était que le mot « média » avait une connotation péjorative, représentant le chemin unique vers le plus petit dénominateur commun de la culture américaine. Les médias étaient un phénomène de masse. Un vaste public ferait rentrer dans les caisses beaucoup d'argent publicitaire qui garantirait à son tour de gros budgets de production. La publicité était d'autant plus justifiée dans les médias que l'idée était que l'information et les loisirs devaient être gratuits pour le spectateur, puisque la fréquence était propriété publique.

En revanche, les magazines se servent d'un réseau de distribution privé et divisent les coûts entre l'annonceur et le lecteur. Les magazines, média asynchrone par excellence, offrent une gamme beaucoup plus large de modèles économiques et démographiques et peuvent en fait jouer à être des modèles pour l'avenir de la télévision. La prolifération des niches commerciales n'a pas forcément fractionné le contenu, mais elle a transféré une partie du fardeau financier sur les épaules de l'abonné.

Dans les médias numériques à venir, le principe du service payant sera plus répandu, pas seulement sur une base du tout ou rien, mais plutôt sur le mode des journaux et des magazines, qui vous font partager les coûts avec l'annonceur.

Les modèles économiques actuels des médias reposent presque exclusivement sur le fait que l'information et le spectacle sont imposés au public. Demain, ce sera l'inverse, le public imposera ses goûts. En effet, nous pourrons naviguer dans le réseau et emprunter ce que bon nous semble, comme nous le faisons aujourd'hui dans une bibliothèque ou un magasin de location vidéo. Cela peut se faire explicitement en demandant, ou implicitement par un agent agissant à votre place.

Avec ce modèle à la demande sans publicité, la production de contenu va ressembler à la production hollywoodienne, avec de plus grands risques mais aussi de plus grands profits. Il y aura d'énormes échecs et des succès fous. Fabriquez, ils viendront. S'ils viennent, tant mieux ; sinon, c'est dommage, mais aucune grosse entreprise ne sera là pour combler le déficit. En ce sens, les entreprises de médias miseront beaucoup plus gros demain qu'aujourd'hui. Mais il y aura aussi des joueurs plus modestes pour miser moins et récupérer des parts d'audience.

Ce qui primera dans le prime time, ce sera notre appréciation de la qualité, non pas celle d'une masse collective d'acheteurs d'une nouvelle voiture de luxe ou d'un détergent pour lave-vaisselle.

14.

Je choisis mon prime time

Bits à louer (se renseigner à l'intérieur...)

Beaucoup de gens pensent que la vidéo à la demande sera l'application pilote pour financer l'autoroute. Le raisonnement est le suivant : mettons qu'un magasin de location de vidéocassettes propose une sélection de quatre mille titres. Supposons qu'il se rende compte que 5 % de ces cassettes représentent 60 % de l'ensemble des locations. Il y a de fortes chances pour que les nouveautés constituent une bonne proportion de ces 5 %, chiffre qui serait encore plus important si les copies disponibles étaient plus nombreuses.

Après avoir étudié les habitudes de location de vidéocassettes, la conclusion facile est de dire que, pour construire un système électronique de vidéo à la demande, il suffirait de n'offrir que ces 5 %, principalement des nouveautés. Non seulement ce serait pratique, mais cela constituerait une preuve tangible et convaincante de l'existence de ce que beaucoup considèrent encore comme une expérience.

Sinon, il faudrait beaucoup trop de temps et

d'argent pour numériser la plupart ou tous les films faits aux États-Unis jusqu'en 1990. Il faudrait encore plus de temps pour numériser les 250 000 films archivés à la Bibliothèque du Congrès, et je ne parle même pas des films tournés en Europe, des dizaines de milliers de films tournés en Inde, ni des douze mille heures de *telenovelas* produites par an au Mexique par Televisa. La question reste entière : avons-nous, pour la plupart, envie de ne voir que ces 5 % ou ce mouvement de Panurge est-il dicté par les vieilles technologies de distribution d'atomes ?

Blockbuster, chaîne de location de vidéocassettes, a ouvert six cents nouveaux magasins en 1994 (quelque 464 000 m^2) sous l'impulsion de son fondateur et ancien président, H. Wayne Huizenga, qui prétend qu'il a fallu quinze ans à 87 millions de foyers américains pour investir 30 milliards de dollars dans des magnétoscopes et que Hollywood a tellement intérêt à lui vendre des cassettes qu'il n'oserait pas conclure des accords de vidéo à la demande.

Je ne sais pas ce qu'il en est pour vous, mais, pour ma part, je serais prêt à mettre mon magnétoscope à la poubelle dès demain matin si on me proposait un meilleur système. Pour moi, le problème, c'est de trimballer (et de rapporter) des atomes (par ce que l'on appelle parfois le « réseau des baskets ») au lieu de recevoir des bits qui ne sont pas à retourner et pour lesquels je n'ai pas à verser de caution. Avec tout le respect que je dois à Blockbuster et à son nouveau propriétaire, Viacom, je pense que les magasins de location de vidéocassettes mettront la clé sous la porte dans moins de dix ans.

Le raisonnement d'Huizenga est de dire que, puisque la TV payante n'a pas marché, on ne voit pas pourquoi la TV à la demande marcherait. Mais les locations
de vidéocassettes sont payantes. En fait, le succès
même de Blockbuster prouve bien que le payant marche. La seule différence pour l'instant, c'est qu'il est
plus facile de fouiner dans ses magasins, qui louent
des atomes, que de fouiner dans un menu de bits à
louer. Mais c'est en train de changer, et vite. Quand
des systèmes agents feront la navigation électronique
à notre place, alors, contrairement à Blockbuster, la
vidéo à la demande ne se limitera pas à quelques milliers de titres, mais sera littéralement illimitée.

La télévision quand je veux, où je veux

Certains des plus grands responsables du téléphone
récitent le slogan « tout, quand je veux, où je veux »
comme un hymnc à la mobilité moderne. Mais mon
objectif (et le vôtre, je présume) est d'avoir « rien,
jamais, nulle part » à moins que cela ne tombe à pic,
que ce soit important, amusant, pertinent, ou capable
de séduire mon imagination. Ce vieux slogan est mal-
venu pour les télécommunications, mais il s'applique
à merveille à la télévision.

Quand on nous parle de mille chaînes de TV, nous
avons tendance à oublier que, même sans satellite,
nous recevons déjà plus d'un millier de programmes
par jour. C'est sûr qu'ils nous arrivent aux heures les
plus incongrues. Si l'on ajoute les 150 chaînes et plus
de TV recensées dans *Satellite TV Week*, cela fait quel-

que 2 700 programmes supplémentaires disponibles par jour.

Si votre TV pouvait enregistrer tous les programmes transmis, vous auriez déjà cinq fois le choix que propose la vaste palette de l'autoroute numérique. Disons qu'au lieu de tous les conserver vous demanderiez à votre agent d'en retenir un ou deux susceptibles de vous intéresser pour que vous puissiez les regarder à loisir.

Si l'on admet que la télévision du style « quand je veux et où je veux » devienne une infrastructure mondiale de 15 000 chaînes de télévision, alors là les changements quantitatif et qualitatif deviennent très intéressants. Certains Américains pourraient regarder la télévision espagnole pour parfaire leur espagnol, d'autres pourraient se brancher sur le canal 11 du câble suisse pour regarder du nu allemand non censuré (à 17 heures, heure de New York), et les 2 millions d'Américains grecs aimeraient peut-être se brancher sur une des trois chaînes nationales ou l'une des sept chaînes régionales grecques.

Il faut savoir que les Britanniques consacrent soixante-quinze heures par an à la couverture de championnats d'échecs, et les Français quatre-vingts heures au Tour de France. On ne doute pas un instant que les Américains fous d'échecs et de la petite reine aimeraient pouvoir avoir accès à ces événements — quand ils veulent, où ils veulent.

La télévision artisanale

Mettons que j'envisage de me rendre sur la côte sud-ouest de la Turquie. Je ne vais pas forcément trouver un documentaire sur Bodrum, mais je pourrais dénicher des extraits de films sur la construction de bateaux en bois, la pêche nocturne, les antiquités sous-marines, le baba *ghanoujn* et les tapis orientaux dans des sources comme *National Geographic,* PBS, la BBC et des centaines d'autres. Je pourrais coller ces morceaux pour en faire un récit adapté à mon besoin particulier. Le résultat ne remporterait certainement pas le prix du meilleur documentaire, mais là n'est pas le but de l'opération.

La vidéo à la demande peut redonner de la vigueur aux documentaires, même à la redoutable info commerciale. Les agents de la TV numérique vont faire le tri dans les films en deux temps trois mouvements, un peu comme un professeur qui prépare une anthologie prélève des chapitres dans différents livres et des articles dans différents magazines. Spécialistes du droit du copyright, attachez vos ceintures !

Sur Internet, tout le monde peut s'improviser chaîne de télévision sans autorisation d'émettre. On a vendu trois millions et demi de caméscopes aux États-Unis en 1993. Il est sûr que tous les films faits maison ne seront pas dignes de passer en prime time (Dieu merci). Mais cela veut dire que les médias peuvent être autre chose que de la TV professionnelle, à forte valeur de production.

Les responsables des télécommunications compren-

217

nent très bien la nécessité d'une large bande pour aller dans les foyers. Mais ils n'ont aucune idée de la demande pour un canal de capacité semblable dans la direction opposée. Cette asymétrie est justifiée par l'expérience acquise avec les services informatiques interactifs qui, parfois, envoient les informations en large bande chez vous mais à l'inverse rapatrient les informations qui viennent de chez vous en largeur de bande plus faible. Cela tient au fait que la plupart d'entre nous tapent plus lentement sur un clavier qu'ils ne lisent, et reconnaissent les images plus vite qu'ils ne peuvent les dessiner.

Cette asymétrie n'existe pas dans les services vidéo. Il faut que les canaux marchent dans les deux sens. L'exemple le plus évident est la téléconférence qui va devenir un précieux média grand public pour les grands-parents ou, dans les familles éclatées, pour le parent qui n'a pas la garde des enfants.

C'est de la vidéo vivante. Dans un proche avenir, des individus vont pouvoir lire des services vidéo électroniques de la même manière qu'aujourd'hui, cinquante-sept mille Américains lisent des BBS. Voilà un paysage télévisuel futur qui commence à avoir des allures d'Internet, peuplé de petits producteurs d'information. Dans quelques années, vous pourrez apprendre à faire un plat de pâtes avec Macha Méril ou une ménagère italienne. Vous pourrez découvrir des vins avec l'œnologue Machin, ou un viticulteur bourguignon.

Une planète qui rétrécit

À l'heure actuelle, le foyer est desservi par quatre voies électroniques : le téléphone, le câble, le satellite et la diffusion, transmission terrestre. Elles diffèrent plus sur le plan de la topologie que sur le plan économique. Si je veux livrer le même bit à la même heure à chacun des foyers américains, j'ai intérêt à me servir d'un satellite qui arrose le continent entier de la côte Est à la côte Ouest. Ce serait plus logique que d'envoyer ce bit à chacun des vingt-deux mille centraux téléphoniques des États-Unis.

En revanche, si je veux envoyer de la publicité ou des informations régionales, il vaut mieux que je passe par la diffusion terrestre, voire le câble. Le téléphone convient parfaitement à la diffusion point à point. Si je décide quel média utiliser en pensant seulement en termes de topologie, je diffuserai la Coupe du monde de football par le satellite et une version interactive et personnalisée d'« une semaine à la Bourse » sur le réseau téléphonique. Le canal de livraison — satellite, transmission terrestre, câble ou téléphone — est choisi en fonction de ce qui convient le mieux à chaque type de bit.

Mais dans « le monde réel », comme on me dit souvent (comme si je vivais dans l'irréalité la plus totale), chaque canal essaie d'augmenter sa charge payante, souvent en faisant ce pour quoi il est le moins doué.

Par exemple, certains opérateurs de satellites stationnaires envisagent de créer des services de réseaux point à point sur terre. Il vaudrait mieux se servir d'un réseau téléphonique, à moins que l'on ne se trouve dans un endroit où il y a un obstacle physique ou politique à surmonter, un archipel ou une censure. De même, envoyer la Coupe du monde de football dans chaque système terrestre, câblé ou téléphonique, n'est pas la manière la plus simple de faire parvenir tous ces bits à tout le monde au même moment.

Lentement mais sûrement, les bits migreront vers le canal approprié à l'heure appropriée. Si je veux voir la Coupe du monde de l'année dernière, l'appeler par téléphone est le moyen logique de l'obtenir (au lieu d'attendre qu'une chaîne la rediffuse). Après l'événement, la Coupe du monde devient une donnée d'archives, ce qui fait que le canal approprié n'est plus celui qui convenait pour le direct.

Chaque canal de livraison a ses propres anomalies. Quand on envoie un message par satellite de New York à Londres, le signal ne parcourt que six kilomètres de plus qu'entre New York et Newark par la même méthode. On pourrait se dire qu'un appel téléphonique à l'intérieur de la même couverture d'un satellite donné devrait coûter le même prix, que l'on téléphone de Madison Avenue à Park Avenue, ou de Times Square à Piccadilly Circus.

Avec la fibre, il va aussi falloir revoir le prix de livraison du bit. Quand une seule ligne interurbaine transporte des bits entre New York et Los Angeles, on ne sait pas très bien si les transporter sur cette longue distance coûte plus ou moins que de passer par le système capillaire d'un réseau téléphonique suburbain.

La distance a de moins en moins de sens dans le

monde numérique. Sur Internet, la notion de distance semble parfois s'inverser. Il m'arrive souvent de recevoir plus vite des réponses d'endroits éloignés que proches parce que les écarts entre les fuseaux horaires permettent aux gens de répondre pendant mon sommeil — du coup, cela paraît plus proche.

Quand on utilisera un système de livraison équivalant à Internet dans le monde des médias, la planète sera une simple machine à médias. Les foyers équipés aujourd'hui d'antennes paraboliques ont déjà un aperçu d'une vaste palctte d'émissions, sans frontières géopolitiques. Le problème est de la gérer.

Des signaux qui se connaissent eux-mêmes

La meilleure manière de gérer une masse énorme de programmes de télévision est de ne pas la gérer du tout. Qu'un agent s'en charge donc.

Même si les ordinateurs futurs seront capables de comprendre un récit vidéo aussi bien que vous et moi, pendant les trente prochaines années, la compréhension de la machine du contenu vidéo se limitera à des domaines très précis, comme la reconnaissance de visages par des guichets automatiques. Nous sommes encore loin d'un ordinateur capable de comprendre grâce à l'image qu'Hélène a un nouveau petit ami. Nous avons donc besoin de ces bits qui décrivent le récit à l'aide de mots clés, de données sur le contenu.

Au cours des prochaines décennies, les bits qui décrivent d'autres bits, les tables des matières, les index et les résumés vont proliférer dans la diffusion numérique. Ils seront insérés par des humains assistés par des machines, au moment de la sortie (comme les sous-titres aujourd'hui) ou ultérieurement (par les spectateurs et les commentateurs). Cela donnera un flot de bits contenant tellement d'informations à en-têtes que votre ordinateur pourra vraiment vous aider à traiter la masse de contenus.

Mon magnétoscope de l'avenir me dira quand je rentrerai chez moi : « Nicholas, j'ai visionné cinq mille heures de télévision pendant que tu étais sorti et j'ai enregistré six segments d'une durée totale de quarante minutes. Ton copain de classe au lycée est passé à " Today ", il y a eu un documentaire sur les îles du Dodécanèse, etc. » Il fera cela en examinant les en-têtes.

Ces mêmes bits en-têtes conviennent aussi très bien pour la publicité. Si vous cherchez à acheter une nouvelle voiture, vous pouvez n'avoir que des publicités de voitures sur votre écran pendant une semaine. En outre, les constructeurs automobiles peuvent intégrer des informations locales, régionales et nationales dans les en-têtes, si bien que les soldes de votre revendeur le plus proche y seront signalés. On peut transformer cela en un canal d'achat complet qui, contrairement à la chaîne de télé-achats actuelle, ne vend que des choses qui vous intéressent, au lieu de bagues en zirconium.

Les bits sur les bits modifient totalement la diffusion. Ils vous permettent de vous saisir de ce qui vous intéresse et apportent au réseau un moyen de les livrer partout où on les réclame. Les réseaux vont enfin comprendre ce qu'est la gestion de réseaux.

Réseaux et réseaux

Les réseaux de télévision et les réseaux informatiques sont presque deux pôles opposés. Le réseau de télévision est une structure de distribution hiérarchisée avec une source (l'endroit d'où vient le signal) et de nombreux récepteurs homogènes (l'endroit où vont les signaux).

En revanche, les réseaux informatiques sont un treillis de processeurs hétérogènes, chacun pouvant être à la fois source et récepteur. Ils sont tellement différents l'un de l'autre que leurs concepteurs ne parlent même pas la même langue. Le raisonnement de l'un paraît à peu près aussi logique à l'autre que l'intégrisme islamique à un catholique italien.

Par exemple, quand vous envoyez un courrier électronique sur Internet, le message est décomposé en paquets auxquels sont attribués des en-têtes avec une adresse, et on envoie ces blocs dans divers canaux différents, lequels passent dans divers processeurs intermédiaires, qui retirent l'en-tête et en ajoutent d'autres et, comme par magie, réorganisent et assemblent le message à l'autre bout. Cela marche parce que chaque paquet est muni de ces bits sur les bits et que chaque processeur a le moyen d'extraire l'information sur le message en partant du message lui-même.

Quand les ingénieurs vidéo ont commencé à réfléchir à la télévision numérique, ils ne se sont pas du tout inspirés de la conception de réseaux informatiques. Ils ont ignoré la souplesse de systèmes hétérogènes et des en-têtes gorgés d'information. Ils ont préféré discuter de résolution, de ratio d'images, de rapport hauteur/largeur, et d'entrelacement, au lieu de les traiter comme des variables. La doctrine de la TV qui reprend tout le dogme du monde analogique est presque dépourvue de principes numériques comme l'architecture ouverte, l'évolutivité et l'inter-fonctionnement. Cela va changer, mais jusqu'ici le changement s'est fait attendre.

L'agent du changement sera l'Internet, à la fois littéralement et en tant que modèle ou métaphore. L'Internet est intéressant non seulement en sa qualité de réseau mondial massif et omniprésent, mais aussi parce que c'est l'exemple même d'une chose qui a évolué sans concepteur responsable apparent, conservant sa forme comme un vol de canards sauvages. Personne n'est le patron, et jusqu'ici toutes les pièces évoluent admirablement.

Personne ne sait combien l'Internet a d'utilisateurs parce qu'il s'agit avant tout d'un réseau de réseaux. En octobre 1994, Internet se composait de plus de 45 000 réseaux. On comptait plus de 4 millions d'ordinateurs hôtes (croissant à plus de 20 % par trimestre), mais ce n'est pas une mesure très utile pour évaluer le nombre d'utilisateurs. Il suffit que l'une de ces machines serve d'accès public au Minitel, par exemple, pour que tout à coup vous ayez 8 millions d'utilisateurs potentiels de plus sur l'Internet.

L'État du Maryland offre la connexion à l'Internet à tous ses résidents, comme la ville de Bologne en Italie. À l'évidence, tous ces gens ne l'utilisent pas, mais en 1994, 20 à 30 millions étaient apparemment connectés. Je pense qu'environ 1 milliard de gens seront connectés en l'an 2000. Cette estimation se fonde en partie sur le fait que la plus forte croissance (en pourcentage) de la population d'utilisateurs de l'Internet dans le dernier trimestre de 1994 était enregistrée en Argentine, en Iran, au Pérou, en Égypte, aux Philippines, dans la Fédération de Russie, en Slovénie et en Indonésie (dans cet ordre). La population d'utilisateurs d'Internet dans ces pays a augmenté de 100 % dans cette période de trois mois. Internet, affectueusement baptisé le Net, n'est plus exclusivement nord-américain. 35 % des hôtes se trouvent dans le reste du monde, et c'est cette population qui croît le plus vite.

Même si j'utilise Internet tous les jours de l'année, les gens comme moi sont considérés comme des mauviettes sur le Net. Je ne l'utilise que pour le courrier électronique. Les utilisateurs plus avertis et ceux qui ont le temps naviguent dans Internet comme ils passeraient d'une boutique à une autre dans un centre commercial. On peut littéralement passer de machine en machine et faire du lèche-vitrines en se servant d'outils comme Mosaic ou en « montant à cru ». Vous pouvez également vous joindre à des groupes de discussion en temps réel, les MUD, terme inventé en 1979 qui signifie « donjons à utilisateurs multiples » (gênés par ce nom, certains clament que cela signifie « domaines à utilisateurs multiples »). Le MOO est une forme plus récente du MUD (un MUD orienté-objet). Au sens très réel, les MUD et les MOO sont un « troisième » endroit, qui n'est ni la maison ni le bureau. Certains y passent huit heures par jour.

En l'an 2000, les gens se connecteront sur l'Internet

au lieu d'allumer la télévision pour se distraire. L'Internet ira au-delà des MUD et des MOO (qui rappellent un peu le Woodstock des années 60 transposé dans les années 90 sous la forme numérique) et commencera à offrir une gamme de loisirs plus vaste.

Radio Internet tracera sans aucun doute la route de l'avenir. Mais même elle n'est que la partie visible de l'iceberg, parce qu'elle se réduit jusqu'ici à une diffusion restreinte à quelques mordus de l'informatique, comme le démontre l'une de ses principales émissions baptisée « Geek of the Week ».

La communauté d'utilisateurs d'Internet fera partie du courant dominant de la vie quotidienne. Sa population va de plus en plus ressembler à celle du monde lui-même. Comme le Minitel en France et Prodigy aux États-Unis l'ont appris, la plus grosse application des réseaux est le courrier électronique. La véritable valeur d'un réseau réside moins dans l'information qu'il transporte que dans la communauté qu'il forme. L'autoroute de l'information est plus qu'un raccourci pour accéder à chacun des livres de la Bibliothèque du Congrès. Elle est en train de créer un tissu social mondial complètement nouveau.

15.

Les bonnes connexions

Le numérique ne suffit pas

Quand vous lisez cette page, vos yeux et votre cerveau convertissent l'imprimé en signaux que vous pouvez traiter et reconnaître comme des lettres et des mots ayant un sens. Si vous deviez faxer cette page, le scanner du télécopieur produirait une série de lignes de 1 et de 0 représentant le noir et le blanc de l'encre et de l'absence d'encre. La fidélité de l'image numérique par rapport à la véritable page variera selon la précision du balayage. Mais peu importe la précision du balayage du texte par votre fax, puisqu'en définitive votre fax ne sera jamais qu'une image de la page. Ce ne sont ni des lettres ni des mots, mais des pixels.

Pour pouvoir interpréter le contenu de cette image, l'ordinateur doit passer par un processus de reconnaissance semblable au vôtre. Il doit convertir des petites zones de pixels en lettres et celles-ci en mots. Dans le processus, il va se heurter à différents problèmes : ne pas confondre la lettre O et le chiffre 0, faire la part des choses entre un griffonnage et du texte, entre une tache de café et une illustration, toutes choses qu'il devra résoudre sur l'arrière-plan bruyant des parasites introduits par le balayage ou le processus de transmission.

Une fois que cette opération est terminée, votre représentation numérique n'est plus une image, mais des données structurées sous la forme de lettres, codées sous la représentation binaire habituelle que l'on appelle l'ASCII (*American Standard Code for Information Interchange,* ou code ASCII), ainsi que quelques données supplémentaires sur le caractère employé et sa mise en page. Cette différence fondamentale entre le fax et l'ASCII est valable pour les autres médias.

Un CD est un « fax audio ». Ce sont des données numériques qui nous permettent de compresser, de faire de la correction d'erreurs, et de contrôler le signal acoustique, mais elles ne donnent pas la structure musicale. Il serait très difficile, par exemple, d'éliminer le piano, de remplacer un chanteur ou de modifier la place des instruments de l'orchestre. Il y a huit ans, Mike Hawley, alors étudiant et membre actuel du corps enseignant du MIT, et pianiste émérite, a remarqué la différence spectaculaire entre un fax audio et une représentation plus structurée de la musique.

Pour son doctorat, Hawley a travaillé sur un piano de concert Bosendorfer spécialement équipé pour enregistrer le moment où chaque marteau est mis en action et la rapidité avec laquelle il frappe la corde. En outre, chacune des touches était motorisée de sorte qu'elle pouvait recréer toute seule la performance à l'identique. Une sorte de clavier numérique associé au piano de concert le plus cher et le meilleur du monde. Récemment, Yamaha a introduit une version bon marché du même.

Hawley a étudié la manière de stocker plus d'une heure de musique sur un CD. L'industrie a adopté deux approches pour régler cette question. L'une consiste à passer du laser rouge au laser bleu, diminuant ainsi la longueur d'onde et augmentant la précision du laser, et donc la densité d'information, par un facteur de 4. L'autre méthode est d'utiliser davantage de techniques de codage contemporaines, parce que en fait votre lecteur de CD se sert d'algorithmes datant du milieu des années 70, et que, depuis cette époque, nous avons appris à compresser au moins quatre fois mieux le son (ce qu'on appelle une « compression sans déperdition de qualité »). En associant les deux techniques, vous obtenez seize heures de son parfait sur une face d'un CD.

Un jour, Hawley m'a annoncé qu'il avait trouvé un moyen d'intégrer beaucoup plus d'heures de son sur un CD. « Combien ? lui ai-je demandé. — Environ cinq mille. » Je me suis aussitôt dit in petto que, si c'était vrai, l'association mondiale des éditeurs de musique allait lancer des tueurs à ses trousses, l'obligeant à finir ses jours aux côtés de Salman Rushdie. Je lui ai tout de même demandé de m'expliquer (et nous tâcherions de garder la chose secrète, avec un peu de chance).

Hawley avait remarqué avec le Bosendorfer, qu'utilisaient des interprètes comme John Williams, que les mains humaines, même en jouant très rapidement, ne pouvaient jamais produire plus de 30 000 bits à la minute. En d'autres termes, les données gestuelles étaient très faibles par comparaison avec les 1,2 million de bits par seconde générés par le son, comme sur un CD. Cela voulait dire que, si vous stockiez les données gestuelles, et non le son, vous pouviez effectivement stocker cinq mille fois plus de musique. Et vous n'auriez pas besoin pour ce faire d'un Bosendorfer à 125 000 dollars, mais vous pourriez utiliser un instrument plus modeste équipé d'une interface MIDI [1] *(Musical Instrument Digital Interface)*.

Tous ceux qui, dans l'industrie, se sont penchés sur le problème de la capacité des CD audio ne l'ont jamais abordé que sous l'angle audio, un peu comme le fax dans le domaine de l'image. C'est compréhensible, mais pas très révolutionnaire. En revanche, Hawley avait su voir que la gestuelle était comme le MIDI, et que les deux étaient beaucoup plus proches de l'ASCII. En fait, la partition musicale est une représentation encore plus compacte (à faible résolution, c'est sûr, et dénuée des nuances apportées par l'interprétation humaine).

En cherchant la structure des signaux, la manière dont ils sont générés, nous allons au-delà de l'apparence des bits pour découvrir les composantes dont sortent l'image, le son ou le texte. C'est là un des faits les plus importants de la vie numérique.

---

1. Ensemble de spécifications définies peu avant 1983 dans le but de faire communiquer deux ou plusieurs instruments de musique. MIDI a permis l'apparition de logiciels et de matériels permettant de faire communiquer ordinateurs et instruments numériques.

Le fax de la vie

Il y a vingt-cinq ans, si la communauté informatique avait dû prédire le pourcentage de nouveaux textes lisibles par ordinateur aujourd'hui, elle aurait avancé le chiffre de 80 à 90 %. Jusqu'en 1980, elle aurait eu raison. Arrive le fax.

Le fax est une sérieuse imperfection dans le paysage de l'information, un véritable recul, dont on va longtemps ressentir les effets. Pourquoi condamner un média de télécommunications qui a apparemment révolutionné notre manière de mener nos échanges commerciaux et, de plus en plus, notre vie privée ? Le problème, avec le fax, c'est que peu de gens en comprennent les coûts à long terme, les défauts à court terme, et se rendent compte que d'autres solutions auraient été plus judicieuses.

Le fax est un héritage des Japonais, non parce qu'ils ont eu l'intelligence de normaliser et de fabriquer les fax mieux que quiconque, comme les magnétoscopes, mais parce que leur culture, leur langue et les habitudes commerciales reposent en grande partie sur l'image.

Il y a à peine dix ans, le monde des affaires japonais communiquait non pas en échangeant des documents, mais oralement, généralement en tête à tête. Peu d'hommes d'affaires avaient des secrétaires, et la correspondance était souvent laborieusement transcrite. Leur machine à écrire ressemblait plus à une linotype, avec un bras électromécanique positionné au-dessus d'une casse énorme pour produire un seul symbole Kanji sur un choix de plus de soixante mille.

Du fait de la nature pictographique du Kanji, le fax tombait sous le sens. Comme, à l'époque, seule une infime partie du japonais se présentait sous une forme lisible par ordinateur, les inconvénients étaient peu nombreux. En revanche, pour une langue aussi symbolique que l'anglais, le fax n'est rien d'autre qu'une catastrophe en ce qui concerne la lisibilité par ordinateur.

Avec les vingt-six lettres de l'alphabet latin, dix chiffres et une poignée de caractères spéciaux, il est beaucoup plus naturel pour nous de penser en termes d'ASCII codé sur un octet. Mais le fax nous l'a fait oublier. Par exemple, la plus grande partie du courrier commercial actuel est préparé sur un traitement de texte, imprimé et faxé. Réfléchissez une seconde. Nous rédigeons notre document sous une forme entièrement lisible par ordinateur, tellement lisible que nous nous servons tout naturellement d'un vérificateur d'orthographe.

Et que faisons-nous ensuite ? Nous l'imprimons sur un papier à en-tête de luxe. Le document a dès lors perdu toutes les propriétés du numérique.

Nous passons ensuite cette feuille dans un fax, où elle est (re)numérisée en image, ce qui élimine la texture, la couleur et le filigrane du papier. Ce texte part vers sa destination, peut-être un panier près des télécopieurs. Si vous faites partie des plus malchanceux, vous prendrez connaissance de ce texte sur un papier un peu visqueux, désagréable au toucher, parfois non coupé, qui rappelle les anciens manuscrits. Pourquoi ne pas s'envoyer des feuilles de thé à ce compte-là ?

Même si votre ordinateur est équipé d'un modem fax, ce qui évite l'étape papier intermédiaire, ou même si votre fax est un papier ordinaire en couleur, il n'en reste pas moins que le fax n'est pas un média intelligent. En effet, la capacité de lecture par ordinateur a été éliminée, seul moyen qui aurait permis au récepteur du fax de mettre automatiquement votre message en mémoire, d'y avoir accès et de le manipuler.

Cela vous arrive souvent de vous rappeler qu'il y a six mois vous avez reçu un fax d'Untel, de telle provenance, à tel sujet ? Sous la forme ASCII, il suffit de consulter une base de données pour retrouver la trace de telle et telle chose.

Quand vous faxez un tableur, vous n'en envoyez qu'une image. Avec le courrier électronique, vous transmettez un tableur que votre destinataire peut manipuler et interroger ou consulter sous la forme qu'il souhaite.

Le fax n'est même pas économique. Il faut environ vingt secondes pour envoyer cette page par fax normal à 9 600 bauds. Cela représente approximativement 200 000 bits d'information sous cette forme. En revanche, avec le courrier électronique, moins d'un dixième de ces bits suffit : l'ASCII et quelques caractères de contrôle. En d'autres termes, même si vous prétendez ne pas vous soucier de la lisibilité par ordinateur, le courrier électronique représente 10 % du coût du fax, au bit ou à la seconde avec un débit de 9 600 bauds (à 38 400 bauds, cela fait 2,5 % du coût d'un fax courant).

L'idée du fax et du courrier électronique date à peu

près d'un siècle. Dans un manuscrit de 1863, *Paris au xxe siècle*, trouvé et publié pour la première fois en 1994, Jules Verne écrivait : « La photo-télégraphie permettait d'envoyer très loin tout écrit, signature ou illustration, et de signer un contrat à une distance de [20 000 km]. Toutes les maisons étaient câblées. »

Le télégraphe automatique de Western Union (1883) était un courrier électronique câblé, point à point. L'usage généralisé du courrier électronique tel que nous le connaissons aujourd'hui, multipoint à multipoint, précède l'usage généralisé du fax. À l'apparition du courrier électronique, vers la fin des années 60, les initiés à l'informatique étaient relativement rares. Il n'est donc pas étonnant que le fax ait pris le pas sur le courrier électronique dans les années 80. Cela s'explique par la facilité d'emploi, la livraison simple d'images et de graphiques, et des données sur copies papier (dont des formes). En outre, sous certaines conditions et depuis peu, les fax signés ont une valeur légale.

Mais aujourd'hui, avec l'ubiquité de l'ordinateur, les avantages du courrier électronique sont écrasants, comme le prouve bien sa propagation fulgurante. Outre l'intérêt numérique, le courrier électronique est davantage un média de conversation. Même si ce n'est pas un dialogue oral, il est plus proche de la voix que de l'écrit.

Je commence toujours ma journée en lisant mon courrier électronique, et il n'est pas rare que je dise en fin de soirée que, ce matin, j'ai « parlé » avec X ou Y. Les messages s'échangent à un rythme d'enfer, souvent truffés d'erreurs typographiques. Je me rappelle avoir demandé à un Japonais de bien vouloir me pardonner mes fautes de frappe, ce à quoi il m'a répondu que je ne devais pas m'en faire parce qu'il était un bien meilleur correcteur d'orthographe que n'importe quel logiciel sur le marché. C'était vrai.

Ce nouveau média de quasi-conversation est très différent de l'écriture d'une lettre. Cela ressemble davantage au Chronopost. Avec le temps, on finira par lui trouver d'autres usages. Il existe déjà un langage qui sert à donner le ton dans le courrier électronique, qui utilise des signes comme :) pour figurer un visage souriant afin de nuancer un propos (le *Smiley*). Selon toute vraisemblance, au prochain millénaire, le courrier électronique (qui ne se limitera en aucun cas à l'ASCII) sera le média de télécommunications interpersonnel dominant, approchant sinon éclipsant la voix. Nous utiliserons tous le courrier électronique, à condition toutefois de nous familiariser avec l'étiquette numérique.

L'étiquette sur le Net

Imaginez la scène suivante : la salle de bal d'un chateau autrichien au XVIIIᵉ siècle, brillant de tous les feux de ses dorures, l'éclat des lustres et des bijoux se reflétant dans les innombrables miroirs vénitiens. Quatre cents personnes, toutes plus belles les unes que les autres, valsent gracieusement au son d'un orchestre de dix musiciens. Il s'agit d'une scène digne de *La Veuve joyeuse* produite par la Paramount. Imaginez maintenant la même scène, à cela près que 390 des danseurs ne savent valser que depuis la veille ; ils se comportent tous de façon lamentable. On trouve le même phénomène sur l'Internet aujourd'hui. La grande majorité des utilisateurs actuels d'Internet sont des nouveaux venus. Pour la plupart, ils en font partie depuis moins de un an. Ils ont tendance à inonder un petit groupe de destinataires choisis de messages interminables, comme si ces derniers n'avaient rien de mieux à faire que de leur répondre.

Pire, il est tellement simple et apparemment peu coûteux de faire suivre des copies de documents qu'un seul retour chariot peut envoyer quinze ou cinquante mille mots importuns dans votre boîte aux lettres. On croule sous les messages de toutes sortes, ce qui est particulièrement déprimant quand on est connecté à un canal en faible largeur de bande.

Un journaliste à qui on avait demandé un papier sur les nouveaux venus et leur usage inconsidéré de l'Internet a mené son enquête en envoyant, à moi et à d'autres, un questionnaire de quatre pages, sans prévenir. Il aurait dû rédiger un autoportrait pour son article.

Le courrier électronique peut être un média génial pour les journalistes. Les interviews par courrier électronique font moins figure d'intrusion et laissent davantage de place à la réflexion. Je suis convaincu que les interviews électroniques vont devenir la norme pour une grande partie des journalistes dans le monde — en espérant qu'ils voudront bien apprendre quelques règles de savoir-vivre électronique.

La courtoisie sur l'Internet consiste à partir du principe que le destinataire du courrier électronique ne dispose que de 1 200 bits par seconde et de quelques minutes d'attention. Les mal élevés vous renvoient une copie intégrale de votre message avec leur réponse (phénomène malheureusement courant chez bien trop de vieux routiers du courrier électronique). C'est peut-être la manière la plus paresseuse de donner un sens au courrier électronique, et c'est une véritable plaie si le message est long (et le canal étroit).

L'extrême inverse, du genre « bien sûr », est encore pire. Bien sûr, quoi ?

La plus mauvaise des habitudes numériques, selon moi, est la copie inutile, la copie carbone, ou cc (qui va se rappeler que cc signifie « copie carbone » ?). La multitude de copies a dégoûté plus d'un chef d'entreprise de se connecter sur le réseau. Le gros problème avec les copies électroniques, c'est qu'elles peuvent se multiplier elles-mêmes, parce que les réponses sont trop souvent automatiquement envoyées à toute une liste de récepteurs. Vous ne pouvez jamais vraiment dire si quelqu'un a accidentellement répondu à « tous », ou s'il n'a pas voulu ou su faire autrement. Si quelqu'un organise à l'improviste une réunion internationale et m'invite à y participer avec cinquante autres personnes, je n'ai certainement pas envie de recevoir cinquante explications détaillées des modalités du voyage.

La brièveté est l'âme du courrier électronique.

Même le dimanche

Le courrier électronique est un mode de vie qui bouleverse nos habitudes. Le rythme du travail et des loisirs change. La journée de huit heures et les deux jours chômés ont tendance à disparaître. On en arrive à ne plus trop faire la différence entre les messages professionnels et les messages personnels. Les dimanches commencent à ressembler aux lundis.

Certains, notamment en Europe et au Japon, vous diront que c'est une catastrophe. Ils veulent laisser leur travail au bureau. Loin de moi l'idée de reprocher à quiconque de vouloir prendre ses distances par rapport à son travail. En revanche, certains d'entre nous adorent être en ligne tout le temps. C'est un arrangement comme un autre. Personnellement, je préfère répondre au courrier électronique le dimanche et traîner plus longtemps en pyjama le lundi.

Être à la fois chez soi et ailleurs

Vous connaissez certainement cet excellent dessin représentant deux chiens utilisant l'Internet. L'un tape à l'autre : « Sur l'Internet, personne ne sait que tu es un chien. » Il faudrait ajouter : « Et personne ne sait où tu es. »

Dans l'avion qui me mène de New York à Tokyo, environ quatorze heures de vol, je tape la plus grande partie du temps et, entre autres choses, je compose de quarante à cinquante messages pour le courrier électronique. Imaginez qu'en arrivant à l'hôtel je demande au concierge de bien vouloir me les faxer. Cela prendrait des dimensions de mailing. En revanche, quand je les envoie par courrier électronique, je le fais vite en composant un numéro de téléphone local. Je les envoie à des gens, pas à des endroits. Les gens m'envoient des messages à moi, pas à Tokyo.

Le courrier électronique vous donne une mobilité extraordinaire, sans que personne ne sache où vous êtes. Cela concerne peut-être davantage le représentant de commerce, mais rester en liaison soulève des questions générales assez intéressantes sur la différence entre des bits et des atomes dans la vie numérique.

Quand je pars en déplacement, je m'arrange pour disposer d'au moins deux numéros de téléphone locaux me permettant de me brancher sur Internet. Contrairement à ce que l'on croit, ce sont des ports commerciaux onéreux qui me relient soit au système par paquets du pays donné (chose que je fais en Grèce, en France, en Suisse et au Japon), soit au service mondial par paquets de Sprint ou de MCI. Sprint, par exemple, a des numéros de téléphone dans trente-huit villes russes. En appelant de n'importe lequel d'entre eux, je peux me connecter à mon système de temps partagé à un utilisateur ou, à défaut, à l'ordinateur principal du MIT. Dès lors, je suis sur Internet.

Dans le monde, la connexion tient de la magie noire. Le problème n'est pas d'être numérique, mais de posséder la bonne fiche de connexion. En Europe, on ne compte pas moins de vingt fiches de connexion différentes ! Peut-être vous êtes-vous habitué à la petite

239

prise de téléphone en plastique, le RJ-11, mais sachez qu'on en compte quelque 175 autres dans le monde. Je suis l'heureux propriétaire d'au moins un exemplaire de chaque et, quand je pars pour un long périple, il y a des chances pour que 25 % de mes bagages se composent de prises de téléphone et de fiches de connexion.

Même en étant bien équipé, on peut encore avoir des problèmes parce qu'il n'y a que très peu de cabines téléphoniques et d'hôtels équipés pour la connexion avec un modem. On peut sauver la mise en scotchant un coupleur acoustique au combiné. Mais il faut savoir que plus le design du combiné a été revu et corrigé, plus la tâche sera difficile.

Une fois la connexion établie, les bits n'ont aucun problème pour rentrer chez eux, même par le biais d'un vénérable téléphone analogique, bien que cela demande parfois une transmission à très faible vitesse et à taux élevé de correction d'erreurs.

L'Europe a lancé un programme Europlug pour mettre au point un type unique de fiches qui a trois objectifs : 1) ne ressembler à aucune des fiches actuelles ; 2) avoir les caractéristiques de sécurité de toutes les fiches actuelles ; 3) ne donner l'avantage économique à aucun pays (ce dernier objectif étant typique de la mentalité de l'Union européenne). Mais il ne faudrait pas s'arrêter aux fiches. Plus nous deviendrons numériques, plus les obstacles risquent d'être physiques et non électroniques.

Le petit ergot de plastique d'un RJ-11 que l'on retrouve cassé dans certains hôtels pour vous empêcher de brancher votre portable est un exemple de

240

sabotage délibéré. C'est encore pire que de se voir facturer les fax que l'on reçoit. Les auteurs de guides de voyages, Tim et Nina Zagat, ont promis de signaler à l'avenir les hôtels qui se livrent à ce genre d'opération, pour que les fanas du numérique puissent boycotter ces établissements et aller numériser ailleurs.

16.

C'est rigolo, mais c'est pas de la tarte

Une nouvelle manière d'apprendre

En 1989, le jour du lancement du projet Lego/ Logo par le Media Lab, des enfants, de la maternelle au CM2, de l'école Hennigan, ont présenté leurs travaux devant une assemblée de dirigeants de chez Lego, d'universitaires et de représentants de la presse. Une journaliste zélée a collé un micro sous le nez d'un enfant pour lui demander si tout cela n'était pas qu'un petit jeu très rigolo. Elle attendait visiblement de ce garçon de huit ans un bon cliché spirituel à souhait.

L'enfant en est resté sans voix. La journaliste a dû répéter sa question trois fois. Enfin, exaspéré, le visage luisant de sueur sous la chaleur des projecteurs, le gamin a regardé la caméra d'un air malheureux et a dit : « C'est rigolo, mais c'est pas de la tarte. »

Seymour Papert est un spécialiste des choses rigolotes qui ne sont pas de la tarte. Il a remarqué qu'« être doué en langues » était un concept étrange quand on sait qu'un gamin de cinq ans pas plus malin qu'un autre apprendra l'allemand en Allemagne, l'italien en Italie et le japonais au Japon. En vieillissant, nous semblons perdre cette capacité, mais nous ne pouvons pas nier que nous l'avons eue dans notre enfance.

Papert a proposé que nous réfléchissions au rôle de l'ordinateur dans l'éducation, littéralement et métaphoriquement, comme s'il s'agissait de créer une sorte de pays des Maths où un enfant pourrait s'initier aux maths comme il apprend les langues. Si le pays des Maths est un concept géopolitique étrange, il est parfaitement logique dans l'univers informatique. En fait, les techniques modernes de simulation informatique permettent de créer des microcosmes dans lesquels les enfants peuvent explorer des principes très complexes par le jeu.

À Hennigan, un enfant de six ans de la classe Lego/ Logo a construit un bloc de pièces au sommet duquel il a placé un moteur. Il a ensuite connecté les deux fils du moteur à son ordinateur et écrit un programme d'une ligne pour le mettre en marche et l'arrêter. Quand le moteur marchait, le bloc de pièces vibrait. L'enfant a ensuite fixé une hélice au moteur, un peu excentriquement (c'est-à-dire un peu décentrée, peut-être par erreur). Dès lors, quand il mettait le moteur en marche, le bloc de pièces vibrait tellement que non seulement il se déplaçait en tressautant sur la table mais que les pièces se détachaient presque les unes des autres (il sauva l'ensemble en trichant un peu — c'est parfois la solution — avec quelques élastiques).

L'enfant remarqua alors qu'en faisant pivoter le moteur pour que l'hélice tourne dans le sens des aiguilles d'une montre, la pile de Lego tressautait d'abord vers la droite, puis partait dans le désordre. En faisant pivoter le moteur dans l'autre sens, la pile tressautait d'abord vers la gauche, avant de se lancer dans la même série de mouvements désordonnés. Finalement, il a décidé de mettre des cellules photoélectriques sous le bloc, puis de le placer sur une ligne noire en zigzag qu'il avait dessinée sur une grande feuille de papier.

Il a écrit un programme plus compliqué qui faisait pivoter le moteur (dans un sens ou dans l'autre). Puis, selon la cellule photoélectrique qui passait sur du noir, le moteur s'arrêtait et redémarrait dans le sens des aiguilles d'une montre, tressautait vers la droite, ou dans le sens contraire, tressautait vers la gauche, revenant ainsi en ligne. Son bloc de pièces de Lego suivait la ligne noire en zigzag.

Le gamin est devenu un héros. Les professeurs comme les élèves sont venus lui demander comment marchait son invention, l'ont examinée sous toutes les coutures et lui ont posé diverses questions. Ce petit moment de gloire lui a apporté quelque chose de très important : la joie d'apprendre.

Dans notre société, les enfants qui ont des difficultés d'apprentissage sont peut-être moins nombreux que les environnements qui ont des difficultés d'enseignement. L'ordinateur change tout cela en nous donnant les moyens d'atteindre des enfants ayant des styles cognitifs très différents.

Au lieu de disséquer une grenouille,
construisez-la

La plupart des enfants américains ne font pas la différence entre la Baltique et les Balkans, ne savent pas qui étaient les Wisigoths, et ignorent où habitait Louis XIV. Et alors ! Pourquoi serait-ce aussi important ? Vous saviez, vous, que Reno est à l'ouest de Los Angeles ?

Dans des pays comme la France, la Corée du Sud et le Japon, on bourre tellement le crâne des jeunes cerveaux qu'à leur entrée à l'université les étudiants sont pratiquement exsangues. Pendant les quatre années suivantes, ils se font l'impression d'être des coureurs du marathon à qui l'on demande de faire de l'escalade sur la ligne d'arrivée.

Dans les années 60, la plupart des pionniers en matière d'enseignement assisté par ordinateur prônaient une approche de l'exercice et de la pratique qui consistait à mettre un enfant devant un ordinateur pour qu'il apprenne les mêmes faits inutiles à son rythme, mais plus efficacement. Maintenant, avec la rage du multimédia, ces mêmes partisans de l'exercice et de la pratique en chambre se disent qu'ils vont pouvoir exploiter le punch d'un jeu Sega pour enfoncer un peu plus d'information dans le crâne des enfants, de manière plus « productive ».

Le 11 avril 1970, Papert a organisé au MIT un symposium intitulé « Apprendre aux enfants à réfléchir ». On allait mettre des enfants devant des ordinateurs et leur demander d'enseigner aux machines, ce qui leur permettrait d'apprendre en enseignant. Cette idée d'une simplicité étonnante a mijoté pendant près de quinze ans avant de prendre corps avec les micro-ordinateurs. Maintenant que plus d'un tiers des foyers américains sont équipés d'un micro-ordinateur, l'heure est venue de l'appliquer.

Si l'enseignement tient une grande place dans l'apprentissage — à condition qu'il soit de bonne qualité et confié à de bons professeurs —, on apprend surtout par l'exploration, en réinventant la roue, en découvrant par soi-même. Jusqu'à l'avènement de l'ordinateur, la technologie appliquée à l'enseignement se limitait à des méthodes audiovisuelles et à l'enseignement par la télévision, ce qui n'a fait qu'amplifier l'activité des enseignants et la passivité des enfants.

L'ordinateur a totalement modifié cet équilibre. Tout à coup, l'apprentissage par l'action est devenu la règle plutôt que l'exception. Comme la simulation par ordinateur peut à présent pratiquement s'appliquer à tout, il n'est plus nécessaire de disséquer une grenouille pour tout apprendre à son sujet. À la place, on peut demander aux enfants de concevoir des grenouilles, de construire un animal ayant un comportement de grenouille, de modifier ce comportement, de simuler les muscles, de jouer avec la grenouille.

En jouant avec l'information, notamment des sujets abstraits, le concret prend davantage de sens. Je me souviens du jour où l'institutrice de CM1 de mon fils m'a tristement annoncé qu'il était incapable de faire une addition ou une soustraction à deux ou trois chiffres. Étrange, quand on savait qu'au Monopoly il tenait toujours la banque et qu'il semblait parfaitement à l'aise avec tous ces chiffres. J'ai donc suggéré à l'institutrice qu'elle essaie de lui faire additionner des dollars et non des chiffres. Eh bien, il n'a plus jamais eu de problèmes en calcul mental. Les chiffres avaient cessé d'être abstraits et sans signification, il s'agissait de dollars, avec lesquels on pouvait acheter des rues et construire des hôtels.

Le Lego branché sur ordinateur va un peu plus loin. Il permet aux enfants d'animer ce qu'ils construisent. Parmi les travaux actuels avec les Lego, on peut voir un prototype d'ordinateur-dans-une-pièce — un nouvel exemple de la souplesse du concept constructiviste de Papert — capable d'entrer en communication avec d'autres pièces, ce qui donne l'occasion d'explorer de nouvelles applications du traitement en parallèle.

Les enfants qui utilisent Lego/Logo aujourd'hui vont apprendre des principes physiques et logiques que nous avons appris au lycée. Les preuves matérielles et les résultats dc tests soigneusement menés révèlent que cette approche constructiviste est un moyen d'apprentissage d'une richesse extraordinaire, faisant appel à un vaste éventail de styles de connaissance et de comportement. En fait, beaucoup d'enfants prétendument en difficulté d'apprentissage s'épanouissent dans l'environnement constructiviste.

Les petits malins sur l'autoroute

Aux vacances de la Toussaint, quand j'étais pensionnaire en Suisse, nous étions plusieurs à ne pas pouvoir rentrer à la maison parce que c'était trop loin. Pour nous consoler, nous pouvions participer à un concours, un jeu de piste complètement fou. Le directeur de l'école était un général suisse (en réserve, comme la plupart des membres des forces armées suisses) débordant d'astuce et qui avait le bras long. Il organisait un jeu de piste de cinq jours à travers le pays, où chaque équipe de quatre enfants (de douze à seize ans) partait avec 100 francs suisses et une carte d'abonnement de cinq jours sur le réseau d'autocars.

Munis d'indices différents, nous explorions le pays, gagnant des points à mesure que nous atteignions des objectifs en chemin. Le général ne donnait pas dans la facilité. Par exemple, une épreuve consistait à se trouver à une certaine latitude et longitude au beau milieu de la nuit, pour réceptionner l'indice que devait nous larguer un hélicoptère. Il s'agissait d'une cassette minuscule dans laquelle on nous expliquait en langage codé qu'il fallait trouver un cochon vivant et le conduire à un endroit que l'on nous préciserait à un certain numéro de téléphone (qu'il nous fallait deviner à l'aide d'une énigme chiffrée compliquée fondée sur les dates de sept événements obscurs, dont les sept derniers chiffres constituaient le numéro à appeler).

J'ai toujours adoré ce genre de défi et, ce n'est pas pour me vanter, mais mon équipe a gagné — ce dont je n'avais pas douté un instant. Cette expérience m'a tellement plu que j'ai organisé la même chose pour le quatorzième anniversaire de mon fils. Toutefois, sans armée américaine à ma disposition, j'ai transformé la chose en une expédition d'une journée à

248

Boston pour sa classe, divisée en équipes, avec un budget fixe et une carte de métro. J'ai passé des semaines à disséminer des indices auprès de réceptionnistes, sous des bancs, et dans des endroits à découvrir en résolvant des énigmes de numéros de téléphone. Comme vous l'aurez deviné, les premiers de la classe n'ont pas forcément été les vainqueurs — en fait, c'était plutôt le contraire. Il y a toujours eu une véritable différence entre les grosses têtes et les petits futés.

Par exemple, pour obtenir un des indices de mon jeu de piste, il fallait résoudre des mots croisés. Les premiers de la classe se sont rués à la bibliothèque ou sur un téléphone pour appeler leurs petits copains premiers de la classe. Les petits futés ont passé leur journée dans le métro à interroger les gens. Cela leur a permis non seulement d'obtenir les réponses plus vite, mais de se déplacer en même temps, en accumulant les points.

Aujourd'hui, les enfants ont l'occasion d'être des petits futés sur Internet, où on les entend sans les voir. L'ironie, c'est que la lecture et l'écriture vont en bénéficier. Les enfants vont lire et écrire sur Internet pour communiquer, au lieu de se contenter de compléter quelques exercices abstraits et artificiels. Qu'on se garde de déduire que je fais de l'anti-intellectualisme ou que je méprise les raisonnements abstraits — c'est tout à fait le contraire. Internet fournit un nouveau média pour partir en quête de connaissance et de sens.

Insomniaque léger, je me réveille souvent vers 3 heures du matin, je me connecte une heure et je retourne me coucher. Lors d'une de ces sessions vaseuses, j'ai reçu un courrier électronique d'un certain Michael Schrag qui se présentait très poliment comme un lycéen. Il me demandait s'il pourrait venir au Media Lab pendant sa visite au MIT plus tard dans la semaine. Je l'ai invité à assister à mon cours du vendredi sur « les bits sont des bits », en précisant qu'un étudiant se ferait un plaisir de lui servir de guide. J'ai également transmis son message à deux autres professeurs qui ont accepté de le recevoir (croyant qu'il s'agissait du fameux chroniqueur Michael Schrage, avec un *e* à la fin).

Michael est venu accompagné de son père, qui m'a expliqué que son fils rencontrait toutes sortes de gens sur le Net qu'il traitait un peu comme j'avais traité mon jeu de piste.c Le père de Michael était stupéfait de voir que des prix Nobel et des dirigeants d'entreprise semblaient avoir le temps de répondre aux questions de Michael. Cela tient au fait qu'il est extrêmement simple de répondre, et que, pour la plupart, nous ne croulons pas (du moins, pas encore) sous un courrier électronique sans intérêt.

Avec le temps, on trouvera sur Internet de plus en plus de gens qui auront le temps et la sagesse nécessaires pour en faire un réseau de connaissance et d'assistance. Les 30 millions de membres de l'Association américaine des retraités, par exemple, constituent une masse d'expériences dans laquelle personne n'a encore songé à puiser. Il suffirait d'appuyer sur quelques touches pour rendre accessible cet énorme volume de connaissance et de sagesse aux jeunes esprits.

250

Jouer pour apprendre

En octobre 1981, j'ai assisté avec Seymour Papert à une réunion de l'OPEP (Organisation des pays exportateurs de pétrole) à Vienne. C'est à cette occasion que le cheikh Yamani a prononcé son célèbre discours où il expliquait qu'il fallait donner des cannes à pêche aux pauvres et non du poisson — c'est-à-dire leur apprendre à gagner leur vie et non à accepter une aide. Lors d'un entretien privé, il nous a demandé si nous connaissions la différence entre une personne primitive et une personne sans instruction. Nous avons eu le bon sens d'hésiter, ce qui lui a permis de répondre, fort éloquemment, à sa propre question.

Selon lui, le primitif n'était pas sans instruction, mais il utilisait simplement des moyens différents pour transmettre son savoir de génération en génération, au sein d'un tissu social très soudé et très attentif. En revanche, une personne sans instruction est le produit d'une société moderne, dont le tissu social s'est distendu et dont le système n'apporte aucun soutien.

Le monologue du grand cheikh était en soi une version primitive des idées constructivistes de Papert. De fil en aiguille, nous avons fini par consacrer l'année suivante à travailler sur la place des ordinateurs dans l'éducation dans les pays en voie de développement.

L'expérience la plus achevée de cette période a eu lieu à Dakar, au Sénégal, où on a introduit dans une école primaire deux douzaines d'ordinateurs Apple équipés du langage Logo. Les enfants de ce pays sous-développé, pauvre et rural de l'Ouest africain, ont adopté ces ordinateurs avec la même aisance et le même abandon que n'importe quel enfant des classes moyennes de l'Amérique des banlieues. Pourtant peu habitués aux gadgets mécaniques ou électroniques, ils ont montré le même enthousiasme. Blancs ou noirs, riches ou pauvres, cela n'avait aucune importance. Tout ce qui comptait, comme pour l'apprentissage du français en France, c'était d'être un enfant.

Nous commençons à voir des exemples de ce même phénomène dans notre propre société. Qu'il s'agisse de la population d'Internet, de l'usage du Nintendo et de Sega, ou de la pénétration des micro-ordinateurs, l'important ne sera plus d'appartenir à telle ou telle catégorie sociale, raciale ou économique, mais à la bonne génération. Les riches sont à présent les jeunes, et les démunis, les vieux. Si de nombreux mouvements intellectuels s'appuient sans aucun doute sur des forces nationales et ethniques, ce n'est pas le cas de la révolution numérique. Son génie et sa séduction sont aussi universels que le rock.

La plupart des adultes ne mesurent pas ce que les enfants apprennent avec les jeux électroniques. On pense généralement que ces jouets fascinants font de ces gamins des allumés de l'écran encore pires que les drogués de la télé. Mais il est indéniable qu'avec nombre de ces jeux électroniques les enfants s'initient à la stratégie et acquièrent des talents de planification qui leur seront utiles plus tard. Quand vous étiez petit, cela vous arrivait-il souvent de discuter stratégie ou de vous dépêcher d'apprendre quelque chose plus vite que les autres ?

Aujourd'hui, un jeu comme Tetris se comprend trop vite. Tout ce qui change, c'est la rapidité. La génération Tetris aura l'art de charger rapidement le coffre d'une voiture, mais cela n'ira pas beaucoup plus loin. Plus les jeux seront conçus pour des ordinateurs personnels plus puissants, plus nous verrons proliférer des outils de simulation (comme le très populaire Sim City) et des jeux plus riches en information.

C'est rigolo, mais c'est pas de la tarte.

17.

Les légendes
et les marottes du numérique

Le cri du modem

Si vous deviez engager des domestiques pour faire la cuisine, le ménage, conduire votre voiture, entretenir le feu et répondre à la porte, vous n'imagineriez pas une seconde de leur suggérer de ne pas se parler, de ne pas regarder ce que font les autres, de ne pas coordonner leurs efforts.

En revanche, quand ces fonctions sont intégrées dans des machines, nous sommes parfaitement prêts à isoler chaque fonction et à lui laisser son autonomie. À l'heure actuelle, un aspirateur, une voiture, une sonnette, un réfrigérateur et un radiateur sont des systèmes spécialisés, fermés, que les concepteurs n'ont pas cherché à faire communiquer entre eux. Les horloges numériques intégrées dans nombre de ces appareils sont à peu près le seul exemple de coordination de comportements. Nous essayons de synchroniser certaines fonctions avec le temps numérique, mais, pour la plupart, nous nous retrouvons avec une collection de machines geignardes dont le 12:00 lumineux a l'air de nous prier timidement de les rendre un peu plus intelligentes.

Il est nécessaire que les machines puissent se parler facilement pour mieux servir leurs utilisateurs.

L'entrée dans le numérique modifie l'aspect des normes des communications entre machines. Dans le temps, des gens se réunissaient à Genève, par exemple, pour fixer des normes mondiales pour tout, de la répartition des fréquences aux protocoles de télécommunications. Ils mettaient parfois si longtemps pour se mettre d'accord, comme dans le cas de la norme téléphone RNIS (Réseau numérique à intégration de services), que le concept était dépassé avant la fin de la réunion.

Toutes ces commissions définissant des normes partent du principe que les signaux électriques sont des sortes de pas de vis. Si l'on veut que les écrous et les boulons soient exportables d'un pays à un autre, il faut que nous nous mettions d'accord sur chacune de leurs dimensions essentielles, pas sur quelques-unes seulement. Vous pouvez toujours avoir le nombre voulu de pas par centimètre, si le diamètre ne convient pas, vos écrous et vos boulons sont inutilisables. Le monde mécanique est très exigeant à cet égard.

Les bits sont moins exigeants. Ils se prêtent à des descriptions et à des protocoles (terme réservé jadis à la bonne société) plus évolués. Les protocoles peuvent être très précis quant à la manière dont deux machines « se serrent la main », entrent en communication, en décidant des variables à utiliser dans leur dialogue.

Écoutez donc votre fax ou votre modem la pro-

chaine fois que vous les utiliserez. Tous ces crépite-
ments et ces bips sont littéralement leur poignée de
main. Ces appels du mâle sont des négociations pour
trouver le terrain le plus évolué pour échanger des
bits, avec le plus grand dénominateur commun de
toutes les variables.

À un niveau encore plus évolué, nous pouvons dire
que les protocoles sont des métanormes, ou des langages à utiliser pour négocier des méthodes
d'échange de bits plus détaillées. L'équivalent, en
Suisse, où l'on parle plusieurs langues, c'est de se
retrouver sur un remonte-pente avec un inconnu : on
commence par négocier la langue dans laquelle on va
communiquer (si tant est que l'on parle). Les TV et
les grille-pain vont se poser le même type de questions
avant de faire affaire.

De choses et d'autres

Il y a vingt-cinq ans, j'étais membre d'une commission dont le rôle était d'évaluer les ultimes proposi-
tions encore en course pour le code-barres que vous
pouvez voir à présent partout, sur les boîtes de
conserve, les canettes de bière, les livres (dont il défi-
gure la couverture), sur tout et n'importe quoi, à
l'exception des légumes frais.

Après avoir jugé les finalistes (parmi lesquels figu-
rait une cible), nous avons passé en revue quelques
suggestions dingues mais fascinantes, comme de rendre toute nourriture légèrement radioactive, selon son
prix, si bien que toutes les caisses devenaient un comp-

256

teur Geiger et que c'est le nombre de rads dans leurs chariots que payaient les chalands. (On estime qu'une boîte d'épinards vous expose à une dose de un dixième de micro-rad par kilogramme par heure ; cela fait un milliardième de joule par heure, par comparaison avec les 100 000 joules d'énergie chimique. Ce qui explique pourquoi Popeye soigne sa forme en avalant le contenu de la boîte.)

Cette idée folle n'était pas dénuée d'une certaine sagesse : pourquoi chaque code-barres n'émettrait-il pas des données ? Ou encore, pourquoi ne pas le rendre activable, pour qu'il puisse lever la main comme un enfant à la maternelle ?

Cela requiert de la puissance, ce qui est la raison pour laquelle les codes-barres ont tendance à être passifs. Il existe des solutions : on peut utiliser la lumière ou une puissance si infime qu'une petite pile peut fonctionner des années. Quand il s'agit d'un format minuscule, n'importe quoi peut être numériquement actif. Par exemple, une tasse de thé, un vêtement et (oui) un livre dans votre maison peuvent dire où ils se trouvent. À l'avenir, le concept de l'objet égaré sera aussi peu vraisemblable qu'un livre « épuisé ».

Les étiquettes actives sont un élément important de l'avenir, parce qu'elles amènent dans le giron numérique des petits éléments du monde inanimé qui ne sont pas électriques : les ours en peluche, les clés anglaises et les coupes à fruits. Dans un avenir plus immédiat, on utilisera (et on utilise déjà) des étiquettes actives comme des badges portés par des gens et des animaux. Peut-on imaginer plus beau cadeau de Noël qu'un collier de chien ou de chat actif, de sorte qu'on ne perdra plus jamais l'animal de la maison (ou, plus exactement, il s'égarera, mais vous saurez où il est).

Des gens portent déjà des badges actifs pour des objectifs de sécurité. Olivetti est en train de développer une nouvelle application en Angleterre. Quand vous portez l'un de ces badges, l'immeuble sait où vous vous trouvez. S'il y a un appel pour vous, le téléphone le plus proche sonne. À l'avenir, ces appareils ne seront pas munis d'un clip ou d'une épingle de nourrice mais seront intégrés ou tissés dans vos vêtements.

Des médias portables

Il est fort possible que le velours côtelé informatique, la mousseline à mémoire et la soie solaire soient le matériau du vêtement numérique de demain. Au lieu de porter votre portable, revêtez-le. Cela paraît peut-être un peu outré, mais il n'en reste pas moins que nous commençons déjà à avoir sur nous de plus en plus d'appareils de calcul et de communication.

La montre-bracelet est l'objet le plus évident. Il est sûr que, servant à donner l'heure aujourd'hui, elle deviendra un centre de commande et de contrôle demain. On la porte si naturellement que beaucoup de gens dorment avec.

Une TV-ordinateur-téléphone tout-en-un au poignet n'est plus le domaine exclusif des Dick Tracy, Batman ou autres capitaine Kirk. D'ici à cinq ans, ces appareils portables seront vraisemblablement les produits de consommation qui connaîtront la plus forte croissance. Timex propose déjà des communications sans fil entre votre micro et sa montre. On s'attend à une telle popularité pour la montre Timex que son logiciel de transmission (optique) intelligent sera intégré dans divers systèmes Microsoft.

Notre capacité à miniaturiser va rapidement surpasser notre capacité à alimenter en énergie ces petits objets. Le stockage de l'énergie est un domaine de la technologie qui a progressé à pas de tortue. Si la technologie de la pile progressait au même rythme que celle des circuits intégrés, nous irions au travail dans des voitures alimentées par des piles de torche. Au lieu de ça, je me déplace avec des kilos de batteries quand je voyage pour alimenter mon portable pendant un long vol. Avec le temps, les batteries pour portable sont devenues plus lourdes, à cause de la multiplication des fonctions des ordinateurs et l'augmentation progressive de la luminosité de leurs écrans. (En 1979, le Typecorder de Sony, le premier portable, marchait avec seulement quatre piles bâtons.)

Nous allons vraisemblablement voir émerger des solutions imaginatives pour alimenter les ordinateurs à porter sur soi. Abercrombie & Fitch commercialise déjà un chapeau de brousse équipé d'une photopile alimentant un petit ventilateur pour vous rafraîchir le front. Votre ceinture est le candidat rêvé pour stocker de la puissance. Regardez donc la surface et le volume qu'elle occupe. Imaginez une ceinture en similicuir munie d'une boucle qui lui permette de se ficher dans le mur pour recharger votre téléphone cellulaire.

Quant aux antennes, le corps humain lui-même

259

pourrait en être une. De par leur forme, la plupart des antennes pourraient facilement être intégrées dans le tissu ou portées comme une cravate. Il suffirait d'un petit coup de pouce numérique pour que les oreilles de l'homme soient aussi sensibles que celles du lapin.

L'important est d'admettre qu'à l'avenir les appareils numériques pourront se présenter sous des formes et des tailles très différentes de celles auxquelles nous préparent nos cadres de référence habituels. Cela veut dire que nous pourrons nous approvisionner dans des magasins spécialisés en informatique, mais aussi dans des boutiques de jeans et de baskets. Dans un avenir plus lointain, peut-être vendra-t-on les écrans d'ordinateur au litre et pourra-t-on les peindre. On peut aussi imaginer que les CD-ROM seront comestibles et qu'on appliquera les processeurs parallèles comme des lotions solaires. Ou peut-être allons-nous vivre dans nos ordinateurs.

Des bits et du mortier

Architecte de formation, je me suis rendu compte que de nombreux concepts d'architecture entrent directement dans la conception des ordinateurs, mais que cela n'a jusqu'ici guère fonctionné dans le sens inverse, sinon que l'informatique peuple notre environnement d'appareils plus intelligents. Concevoir les immeubles comme d'énormes appareils électromécaniques n'a donné lieu jusqu'ici qu'à peu d'applications inspirées. Même dans le vaisseau spatial

Enterprise, l'apport de l'architecture se limite aux portes coulissantes.

Les immeubles du futur ressembleront au fond de panier des ordinateurs : ils seront *smart ready* (terme inventé par ATM pour son programme de Maison intelligente), c'est-à-dire prêts au branchement. Cela consiste à truffer une maison de câbles et de connecteurs pour permettre à différents appareils de partager (à l'avenir) des signaux. Il suffit ensuite d'ajouter un traitement d'un genre ou d'un autre pour sonoriser, par exemple, votre salle de séjour comme la salle Pleyel.

La plupart des « environnements intelligents » que j'ai pu voir n'ont pas la capacité de détecter la présence humaine. Notre environnement ressemble aux ordinateurs actuels : il est incapable de nous voir ou de sentir que nous sommes là. Un thermostat signale la température de la pièce, mais ne dit pas si vous avez chaud ou froid. Les pièces de l'avenir sauront que vous venez de passer à table, que vous vous êtes endormi, que vous êtes sous la douche, ou parti sortir le chien. Un téléphone ne sonnera jamais. Si vous n'êtes pas là, il ne sonnera pas justement parce que vous êtes absent. Si vous êtes là et que votre valet numérique décide de vous passer l'appel, la poignée de porte la plus proche de vous pourrait bien vous dire : « Excusez-moi, madame », et vous mettre en communication.

Certains parlent de l'ubiquité de l'informatique, ce dont il s'agit bien, mais parmi ceux-là il en est pour dire que c'est le contraire du recours à des agents d'interface, et c'est là qu'ils ont tort. Ces deux concepts ne font qu'un.

261

L'ubiquité de l'informatique de chacun sera le duit des divers processus informatiques pour l'instant encore non connectés dans la vie courante (système de réservation aérienne, données sur les points de vente, utilisation de serveurs, taxation, messagerie). Ces divers systèmes seront de plus en plus interconnectés. Si votre vol de 8 heures pour New York est retardé, votre réveille-matin sonnera un peu plus tard, et le service de taxi sera automatiquement prévenu en fonction des prévisions de la circulation.

Les robots ménagers sont curieusement absents de la plupart des projets de la maison du futur : c'est une évolution curieuse, parce qu'il y a vingt ans le thème du robot était omniprésent dans toutes les anticipations de l'avenir. C3PO, le grand robot de *Star Wars,* ferait un excellent valet de chambre ; même l'accent est approprié.

L'intérêt pour les robots domestiques va renaître, et on verra un jour des domestiques numériques munis de jambes pour monter les escaliers, de bras pour passer le chiffon à poussière et de mains pour porter les apéritifs. Pour des raisons de sécurité, un robot domestique devra aussi être capable d'aboyer comme un chien méchant. Ces concepts ne sont pas nouveaux. La technologie est à portée de main. Il existe vraisemblablement une centaine de milliers de gens dans le monde qui seraient prêts à débourser 100 000 dollars pour un tel robot. Ce marché de 10 milliards de dollars ne va pas rester longtemps inexploité.

Bonjour, grille-pain

Si votre réfrigérateur remarque que vous n'avez plus de lait, il peut « demander » à votre voiture de vous rappeler d'en acheter en rentrant chez vous. Les appareils ménagers actuels ne font pas suffisamment appel à l'informatique.

Un grille-pain ne devrait pas être autorisé à brûler le pain. Il devrait pouvoir parler à d'autres appareils. Le cours de clôture de votre action préférée devrait pouvoir figurer sans problème sur votre toast. Mais, pour ce faire, il faudrait commencer par connecter le grille-pain au bulletin d'information.

Votre maison aujourd'hui contient probablement plus d'une centaine de microprocesseurs. Mais ils ne sont pas reliés les uns aux autres. Le système le plus intégré de votre intérieur est certainement l'alarme et, dans certains cas, le contrôle à distance des lumières et de petits appareils. On peut programmer les machines à café pour qu'elles fassent du café dès votre réveil. Mais si vous faites sonner votre réveille-matin quarante-cinq minutes plus tard que d'habitude, votre café sera infect.

L'absence de communication électronique entre des appareils donne, entre autres choses, des interfaces très primitives et bizarres. Mais, le jour où la parole deviendra le mode d'interaction dominant entre l'homme et les machines, il faudra que les petits accessoires parlent et écoutent. Toutefois, on ne peut pas demander à chacun d'avoir les moyens de produire et de comprendre le langage humain. Ils doivent communiquer et partager ce genre de ressources.

Il est tentant d'adopter un modèle centralisateur pour le partage, et certains ont même suggéré que l'on installe des « chaudières » à information dans nos sous-sols — un ordinateur central qui gérerait toutes les entrées et sorties dans la maison. J'ai l'impression que l'on ne va pas suivre cette orientation, et que la fonction sera répartie entre un réseau d'appareils, dont un qui sera un as de la reconnaissance et de la production de parole. Si votre réfrigérateur et votre placard gardent en mémoire l'état de votre stock de nourriture en lisant les codes-barres, il suffit que l'un ou l'autre sache les interpréter.

On parle de petit électroménager et de gros électroménager pour faire la différence entre de petits appareils comme les grille-pain et les mixeurs et des machines plus grosses, généralement intégrées, comme les lave-vaisselle et les réfrigérateurs. Cette division ne tient pas compte des appareils d'information, ce qui doit changer, parce que le petit comme le gros électroménager vont être de plus en plus des consommateurs et des producteurs d'information.

Tout appareil est voué à devenir un PC réduit à sa plus simple expression ou, au contraire, gonflé. Il faut prendre cette orientation pour rendre les appareils plus conviviaux, plus faciles à utiliser et capables d'expliquer eux-mêmes leur maniement. Pensez au nombre de machines que vous avez (four à micro-ondes, fax, téléphone cellulaire) dont le vocabulaire de fonctions est tellement énorme que vous n'avez pas pris la peine de l'apprendre, parce que c'est trop difficile. Voilà où l'informatique intégrée peut être d'une grande aide, plus que pour simplement s'assurer que le four à micro-ondes ne transforme pas le brie en infect pudding. Les appareils devraient être de bons professeurs.

Les manuels d'utilisation sont un concept dépassé. Le fait que les fabricants de matériel et de logiciel les joignent aux produits frise la perversité. Le meilleur instructeur sur la manière de se servir d'une machine est la machine elle-même. Elle sait ce que vous faites, ce que vous venez de faire, et peut même deviner ce que vous vous apprêtez à faire. Donner cette connaissance sur ses propres opérations à la machine n'est qu'un petit pas en avant pour l'informatique, mais un pas de géant qui nous délivrera du manuel auquel on ne comprend goutte et sur lequel on n'arrive jamais à mettre la main.

Ajoutez quelques données sur votre compte (vous êtes gaucher, dur d'oreille, et tout ce qui est mécanique vous énerve vite) et cette machine peut être un bien meilleur assistant que tout document pour traiter ses propres opérations et son entretien. Les appareils de demain devraient nous être livrés sans aucune instruction imprimée d'aucune sorte (sauf Haut et Bas). La « garantie » devrait être envoyée électroniquement par l'appareil lui-même, une fois qu'il a le sentiment d'avoir été correctement installé.

265

Des voitures intelligentes

À l'heure actuelle, le coût de l'électronique dans une voiture dépasse le coût de l'acier. Une voiture contient déjà plus de cinquante microprocesseurs. Cela ne veut pas dire qu'on les utilise tous de manière intelligente. Si vous louez une voiture à l'étranger, vous risquez de vous sentir affreusement bête si, en arrivant devant la pompe à essence, vous ne savez pas ouvrir électroniquement votre réservoir.

Parmi les accessoires numériques des voitures, on verra des radios intelligentes, des systèmes de contrôle des économies d'essence et des écrans d'information. En outre, les automobiles bénéficieront d'un autre avantage numérique : elles sauront où elles se trouvent.

Des progrès récents en matière de représentation et de détection de la position permettent de localiser une voiture sur une carte Michelin numérique. Tout le réseau routier américain peut tenir sur un seul CD-ROM. Avec les satellites, le procédé loran, et l'estime (en ajoutant les petits mouvements de votre voiture) ou en associant ces diverses techniques de repérage, on peut localiser des voitures à quelques mètres près. Souvenez-vous de l'Aston Martin de James Bond équipée d'un écran d'ordinateur intégré au tableau de bord situé entre son siège et celui de sa passagère qui affichait une carte de l'endroit où il se trouvait et son itinéraire pour rejoindre sa destination. Aujourd'hui, ce produit est commercialisé, très bien accepté et de plus en plus utilisé. Aux États-Unis, Oldsmobile a été le premier à le lancer en 1994.

Il y a un petit problème, toutefois. De nombreux conducteurs, dont les plus âgés, ont du mal à accommoder leur vision rapidement. Ils ont des difficultés pour passer de l'infini au proche. Pis, certains d'entre nous ont besoin de lunettes pour lire une carte, ce qui nous transforme en Mr. Magoo au volant. La voix serait un bien meilleur navigateur.

Comme vous ne vous servez pas de vos oreilles pour conduire, elles font un canal idéal pour vous dire quand il faut tourner, ce qu'il faut chercher et vous prévenir que, si vous voyez telle chose, cela veut dire que vous êtes allé trop loin. Trouver la bonne manière d'exprimer les indications est un vrai défi (c'est pourquoi les humains sont aussi mauvais dans ce domaine). La route est pleine d'ambiguïtés. « Prenez la prochaine à droite » est parfaitement clair si le carrefour est à une cinquantaine de mètres. Une fois que vous vous en approchez, le problème est de savoir si la « prochaine » est bien celle-ci ou la suivante.

Bien qu'il soit possible de construire de bons « navigateurs » numériques et vocaux, nous risquons de ne pas voir ce concept sur le marché américain avant longtemps. En revanche, l'écran de James Bond va se répandre. La raison en est ridicule. Si la voiture vous informe à partir de données fausses qu'elle vous fait prendre un sens unique à contresens et que vous emboutissez une voiture, devinez un peu qui est responsable ? En revanche, si cela vous arrive en lisant une carte, c'est la faute à pas de chance. En Europe, où la législation en matière de responsabilité et de litiges est plus éclairée, Mercedes-Benz va bientôt lancer un système de navigation vocal cette année.

Ces systèmes de navigation ne se limiteront pas à vous conduire d'un point A à un point B. Il y aura de nouvelles niches de marché pour des guides acoustiques des villes que vous visiterez (« À droite, vous pouvez voir la maison natale de... ») et pour des systèmes vous informant des restaurants accessibles et des capacités d'accueil des hôtels (« On vous a retenu une chambre dans un très bon hôtel près de la sortie 3 »). En fait, quand votre voiture intelligente du futur vous sera volée, elle pourra vous appeler pour vous dire exactement où elle se trouve. Peut-être même le fera-t-elle d'une voix terrorisée.

La personnalité numérique

Les voitures parlantes n'ont pas marché parce qu'elles ont à peu près autant de personnalité qu'un hippocampe.

Généralement, nous jugeons la personnalité d'un ordinateur d'après tout ce qu'il fait mal. Il arrive que l'inverse se produise. Les vérificateurs d'orthographe vous réservent parfois des surprises savoureuses.

Petit à petit, les ordinateurs commencent à avoir de la personnalité. Le Smartcom, logiciel de communication de Hayes Corporation qui est depuis longtemps sur le marché, affiche un petit téléphone et un visage. Les deux yeux regardent une liste de toutes les étapes du processus de connexion, et chaque fois que l'ordinateur termine une phase et passe à la suivante, les yeux se posent sur le prochain élément de la liste. Le visage sourit à la fin si la mise en route est réussie et fronce les sourcils dans le cas contraire.

Ce n'est pas aussi frivole que cela en a l'air. Quand une machine a une personnalité, on a du plaisir à s'en servir, elle est conviviale et paraît moins « mécanique ». On va bientôt pouvoir roder un ordinateur comme on éduque un chiot. Vous pourrez acheter des modules de personnalités ayant le comportement et le mode de vie de personnages fictifs. Le style de l'interaction peut être beaucoup plus riche que les simples clics, les voix métalliques, ou les flashes répétitifs de messages d'erreurs. Nous allons voir des systèmes dotés d'humour, des systèmes qui vous rappellent gentiment à l'ordre, même des systèmes aussi sévères et à cheval sur la discipline qu'une nounou bavaroise.

18.

Les nouveaux e-xpressionnistes

Le peintre du dimanche revisité

Nos réfrigérateurs sont généralement couverts de dessins d'enfants. Nous encourageons notre progéniture à s'exprimer et à faire des choses de ses mains. Puis, quand nos enfants ont six ou sept ans, nous faisons volte-face, leur donnant l'impression que le dessin est une matière secondaire au même titre que la gymnastique, contrairement au français et aux maths, qui sont des matières importantes. La lecture, l'écriture et l'arithmétique sont faits pour ceux qui veulent réussir. Et pendant les vingt ans qui suivent, nous gavons l'hémisphère gauche de leur cerveau comme une oie de Strasbourg, laissant l'hémisphère droit devenir aussi gros qu'un petit pois.

Seymour Papert raconte l'histoire de ce chirurgien du milieu du XIXe siècle magiquement transporté à travers le temps dans une salle d'opération moderne. La technologie aurait tellement transformé la pratique de son art qu'il ne reconnaîtrait plus rien et serait bien en peine de se rendre utile. En revanche, si la même machine à traverser le temps déposait un instituteur du xıxᵉ siècle dans une salle de classe actuelle, il n'aurait aucun mal à prendre le relais de son homologue, à quelques infimes détails près. L'enseignement n'a guère changé en cent cinquante ans. La technologie y tient toujours une place aussi mineure. En fait, si l'on en croit une enquête récente du ministère de l'Éducation, aux yeux de 84 % des enseignants américains, un seul type de technologie de l'information est absolument « indispensable » : une photocopieuse avec une réserve de papier suffisante.

Néanmoins, nous commençons enfin à nous éloigner d'un mode d'enseignement rigide qui s'adressait surtout à des enfants emmagasinant l'information de manière compulsive pour nous diriger vers un type d'enseignement plus poreux qui ne trace pas de frontières hermétiques entre l'art et la science, l'hémisphère droit et l'hémisphère gauche du cerveau. Quand un enfant se sert d'un langage informatique comme Logo pour faire un dessin sur l'écran de son ordinateur, cette image est à la fois une expression artistique et mathématique. Même un concept abstrait comme les maths peut à présent utiliser des éléments concrets issus des arts visuels.

Grâce aux micro-ordinateurs, la future génération d'adultes aura une plus grande maîtrise à la fois des maths et du visuel. Dans dix ans, les adolescents auront certainement une palette d'options plus riche, parce qu'on favorisera moins les rats de bibliothèque pour faire davantage de place à des styles cognitifs, des modes d'apprentissage et d'expression différents.

Le terrain de rencontre entre le travail et le jeu va s'élargir de manière spectaculaire. La frontière entre le plaisir et le devoir va s'estomper sous l'effet d'un dénominateur commun : le numérique. Le peintre du dimanche est le symbole d'une nouvelle ère d'ouverture et d'un respect tout neuf pour les violons d'Ingres créatifs ; toute sa vie, on pourra fabriquer, faire et exprimer. Quand des retraités se mettent à l'aquarelle, ils font en quelque sorte un retour à l'enfance, et en tirent des satisfactions très différentes de celles qu'ils ont connues dans l'intervalle. Demain, des gens de tous les âges auront une vie plus harmonieuse de l'enfance à la vieillesse parce que, de plus en plus, les outils de travail et les jouets seront les mêmes. Le plaisir et le devoir, l'expression et le travail en groupe puiseront dans la même palette.

Les *hackers,* ces fous de l'ordinateur, jeunes et vieux, en sont un excellent exemple. Leurs programmes ressemblent à des tableaux surréalistes ayant à la fois des qualités esthétiques et une excellente précision technique. On discute de leur travail en termes de forme et de fond, de sens et de performance. Le comportement de leurs programmes informatiques est une nouvelle forme d'esthétique. Ces fous sont les précurseurs du nouvel e-xpressionnisme.

L'attraction de la musique

La musique a été l'une des forces qui ont modelé l'informatique.

On peut voir la musique sous trois angles très puissants et complémentaires. On peut la voir sous l'angle du traitement numérique des signaux — comme les problèmes très difficiles de séparation du son (éliminer, par exemple, le bruit de la chute d'une boîte de soda dans un enregistrement). On peut la voir du point de vue de la cognition musicale — la manière d'interpréter le langage de la musique, ce qui constitue l'appréciation et la source de l'émotion. Enfin, on peut la traiter comme une expression et un récit artistiques — une histoire à raconter et des émotions à susciter. Ces trois aspects ont autant d'importance et font du domaine musical le paysage intellectuel parfait pour évoluer avec grâce de la technologie à l'expression, de la science à l'art, de l'intime au public.

Si vous demandez à un auditorium rempli d'étudiants en informatique combien d'entre eux jouent d'un instrument, ou estiment porter un grand intérêt à la musique, la plupart des mains se lèvent. La parenté traditionnelle entre les mathématiques et la musique se révèle de manière frappante dans l'informatique contemporaine et dans la communauté des mordus de l'informatique. Le Media Lab attire certains de ses meilleurs étudiants en informatique à cause de la part qu'il accorde à la musique.

Les passe-temps de l'enfance, comme l'art et la musique, qui sont intentionnellement ou non découragés par les parents ou la société, ou sont considérés au mieux comme une soupape de sûreté face aux pressions du travail scolaire, pourraient être la lentille à travers laquelle les enfants verront et exploreront des masses entières de savoir présentées jusque-là sous un seul aspect. Je n'ai pas aimé étudier l'histoire à l'école, je suis incapable de donner les dates des grandes batailles de l'histoire, mais je peux mettre une date sur tous les événements marquants de l'art et de l'architecture. Mon fils a hérité de ma dyslexie, mais cela ne l'empêche pas de dévorer des revues de planche à voile et de ski, de la première à la dernière page. Pour certains, la musique peut être un moyen d'étudier les maths, d'apprendre la physique et de comprendre l'anthropologie. Mais voici l'envers de la médaille : comment nous initions-nous à la musique ? Au xixᵉ siècle et au début du xxᵉ, on jouait de la musique à l'école. La technologie de la musique enregistrée a modifié cela. Il n'y a pas si longtemps que les écoles sont revenues à l'apprentissage de la musique par l'interprétation au lieu de l'écoute passive. Se servir de l'ordinateur pour s'initier à la musique est idéal parce que cela permet plusieurs approches possibles. L'ordinateur n'ouvre pas la musique au seul enfant doué. Les jeux musicaux, les cassettes de données sonores et la maniabilité intrinsèque de l'audio numérique ne sont que quelques-uns des moyens par lesquels un enfant peut se familiariser avec la musique. L'enfant qui a un penchant pour le visuel peut même avoir envie de créer des manières de la visualiser.

L'art électronique

La première rencontre des ordinateurs et de l'art peut donner des résultats catastrophiques. En effet, la personnalité de la machine peut être trop forte et anéantir l'expression recherchée, comme on le voit si souvent dans l'holographie et les films en trois dimensions. C'est comme si l'on ajoutait du piment à une sauce béchamel. La personnalité de l'ordinateur peut noyer les signaux plus subtils de l'art.

Que la collaboration la plus étroite des ordinateurs et de l'art se soit manifestée dans la musique et les arts du spectacle n'a rien d'étonnant. Les compositeurs, les interprètes et le public peuvent tous avoir une maîtrise numérique. Si Herbie Hancock sortait son prochain titre sur Internet, non seulement il jouerait devant un auditorium de 20 millions de places, mais chaque auditeur pourrait imprimer sa marque à la musique, transformer la musique selon ses goûts. Pour certains, cela se résumera à moduler le volume. D'autres décideront peut-être de transformer la musique en karaoké. D'autres encore y verront une occasion de modifier l'orchestration.

L'autoroute numérique va transformer l'art achevé et inaltérable en une chose du passé. Les moustaches ajoutées à la Joconde feront figure de plaisanterie enfantine à côté. Nous allons voir sur l'Internet des manipulations numériques sérieuses d'expressions censées être achevées, ce qui n'est pas forcément mauvais.

Nous entrons dans une ère où l'expression sera plus vivante et fera davantage appel à la participation. Nous aurons l'occasion de distribuer et de connaître une richesse de signaux sensoriels par d'autres biais que le livre ou une visite au Louvre. Des artistes vont finir par considérer l'Internet comme le plus grand musée du monde où ils pourront proposer directement leurs œuvres aux gens.

L'artiste numérique va fournir les structures d'accueil de la mutation et du changement. Cela peut

peut-être avoir des allures de vulgarisation totale d'emblèmes culturels importants — comme de transformer tous les Steichen en cartes postales — mais, l'important, c'est que le numérique permet de faire passer le processus de création, pas seulement son produit. Ce processus peut être le phantasme et l'inspiration d'un seul esprit, ou le produit de l'imagination collective de plusieurs, ou la vision d'un groupe révolutionnaire.

Un salon des refusés

Le concept à l'origine du Media Lab était de faire prendre de nouvelles orientations à la recherche en matière d'interface homme/ordinateur et d'intelligence artificielle. L'idée était de leur donner forme en tenant compte du contenu des systèmes d'information, des exigences des applications grand public, de la nature de la pensée artistique. On l'a présenté aux industries de la diffusion, de l'édition et de l'informatique comme un moyen de réunir la richesse sensorielle de la vidéo, la richesse de l'information de l'édition, et l'interactivité intrinsèque des ordinateurs. Cela paraît parfaitement logique aujourd'hui mais, à l'époque, cela paraissait stupide. Le *New York Times* a même rapporté qu'un membre de la faculté non identifié pensait que tous les gens associés à cette aventure étaient des « charlatans ».

Le Media Lab se trouve dans un immeuble dessiné par l'architecte I. Pei (conçu juste après l'aile supplémentaire de la National Gallery de Washington et juste avant la pyramide du Louvre). Il a fallu près de sept ans pour le financer, le construire et réunir son équipe enseignante.

Comme les impressionnistes exclus du salon officiel en 1863, les membres fondateurs du Media Lab ont constitué un salon des refusés qui a réuni dans certains cas des éléments trop extrémistes pour leur département universitaire, d'autres trop extérieurs à leur département et, dans un cas, un élément issu d'aucun département. À part Jerome Wiesner et moi-même, l'équipe se composait d'un cinéaste, d'un graphiste, d'un compositeur, d'un physicien, de deux mathématiciens, et d'un groupe de chercheurs qui, entre autres choses, avaient inventé le multimédia dans les années précédentes. Au début des années 80, nous sommes devenus une contre-culture face à l'*establishment* de l'informatique qui, à l'époque, s'intéressait surtout aux langages de programmation, aux systèmes d'exploitation, aux protocoles de réseaux et aux architectures de systèmes. Notre ciment n'était pas une discipline, mais une croyance que les ordinateurs modifieraient et transformeraient d'une manière spectaculaire la qualité de la vie par leur ubiquité, non seulement dans la science, mais dans tous les aspects du quotidien.

Le moment était bien choisi parce que les ordinateurs personnels étaient en train de naître, l'interface utilisateur commençait à être considérée comme essentielle, et l'industrie des télécommunications était en pleine déréglementation. Des propriétaires et des directeurs de journaux, de magazines, de maisons d'édition, de studios de cinéma et de stations de télévision commençaient à s'interroger sur ce que réservait l'avenir. Des nababs des médias doués de bon sens, comme Steve Ross et Dick Munro de Time Warner, ont eu l'intuition de l'arrivée du numérique. Investir dans un projet un peu dingue au MIT était une assurance peu chère. C'est ainsi que nous sommes rapidement devenus trois cents.

Aujourd'hui, c'est le Media Lab qui est l'*establishment*. Les surfeurs d'Internet sont les dingues de service. Les fous du numérique sont allés au-delà du multimédia pour créer un univers plus proche d'un mode de vie réel que d'un manifeste intellectuel. Ils vivent dans l'espace cybernétique. Ils se surnomment les bitniks et les cybraiens. Leur mobilité sociale couvre la planète entière. Aujourd'hui, ce sont eux le salon des refusés, mais leur salon n'est ni un café à Paris ni un immeuble dessiné par I. Pei à Cambridge. Leur salon se trouve quelque part sur le Net. Il est numérique.

Épilogue

L'ère de l'optimisme

Je suis d'une nature optimiste. Mais, dans toute technologie ou cadeau de la science, il y a l'envers du miroir. Le numérique ne fait pas exception à la règle.

Au cours de la prochaine décennie, nous allons voir des cas de viol de la propriété intellectuelle et d'invasion de notre intimité. Nous allons connaître le vandalisme numérique, le piratage de logiciels, et le vol de données. Pire, nous allons être les témoins de la disparition de nombreux emplois du fait de la prolifération de systèmes entièrement automatisés, qui vont bientôt faire subir au lieu de travail des cols blancs la même transformation qu'a connue l'atelier. L'emploi à vie est une notion en voie de disparition.

La mutation de nos marchés de l'emploi, due à l'abandon progressif des atomes au profit des bits, va pratiquement coïncider avec l'arrivée d'une main-d'œuvre informatisée de quelque 2 milliards d'Indiens et de Chinois. La concurrence va jouer entre un concepteur indépendant de logiciels de Peoria et son homologue de Pohang, ou un typographe numérique de Madrid avec son homologue à Madras. Les entreprises américaines sous-traitent déjà le développement de matériel et la production de logiciels à la Russie et à l'Inde, non pour trouver une main-d'œuvre bon marché mais pour s'assurer les services d'une population intellectuelle très qualifiée, apparemment prête à travailler plus dur, plus vite et avec plus de discipline que son équivalent américain.

Plus le monde des affaires se mondialise et plus l'Internet croît, plus le lieu de travail numérique s'universalise. Longtemps avant que l'harmonie politique ne s'installe et longtemps avant que le GATT ne débouche sur des accords concernant les tarifs et le commerce des atomes (le droit de vendre de l'eau d'Évian en Californie), les bits seront stockés et manipulés sans aucun respect des frontières géopolitiques. En fait, les fuseaux horaires vont peut-être jouer un plus grand rôle que les zones de commerce dans notre avenir numérique. Je vois très bien des projets de logiciels faire le tour du monde en vingt-quatre heures, passant d'individu en individu ou de groupe en groupe, les uns travaillant pendant que les autres dorment. Il va falloir que Microsoft ouvre des bureaux de développement de logiciels à Londres et à Tokyo pour produire en continu.

Plus nous approchons de ce monde numérique, plus un secteur entier de la population va être ou se sentir exclu. Un ouvrier de l'acier de cinquante ans qui perd son travail n'a pas forcément les moyens de se convertir au numérique, contrairement à son fils de vingt-cinq ans. Mais qu'une secrétaire d'aujourd'hui perde son travail, elle peut avoir des compétences qui lui permettront de s'adapter au numérique.

Les bits ne sont pas comestibles : ils ne rassasieront jamais personne. Les ordinateurs n'ont aucun sens moral : ils ne peuvent résoudre des questions graves comme les droits de vie et de mort. Néanmoins, le numérique donne de bonnes raisons d'être optimiste. Telle une force de la nature, l'ère numérique ne peut ni être niée ni arrêtée. Elle possède quatre qualités essentielles qui vont lui permettre de triompher : c'est une force décentralisatrice, mondialisatrice, harmonisatrice et productrice de pouvoir.

C'est dans le commerce et l'industrie de l'informatique que l'effet décentralisateur du numérique est le plus patent. Le tsar du système intégré de gestion (SIG) qui régnait sur un mausolée vitré à air conditionné est un empereur nu, une espèce presque éteinte. Ceux qui survivent y réussissent généralement parce qu'ils ont un grade plus élevé que ceux qui pourraient les congédier et que le conseil d'administration de l'entreprise est dépassé ou endormi, ou les deux.

Thinking Machines Corporation, grande entreprise de supercalculateurs créée par le génie de l'électrotechnique Danny Hillis, a disparu au bout de dix ans. Dans ce laps de temps, elle a initié le monde aux architectures d'ordinateurs massivement parallèles. Sa disparition n'est pas due à une mauvaise gestion ou à une mise au point mal pensée de leur fameuse Connection Machine. Cette entreprise a disparu parce que le parallélisme se prêtait parfaitement à la décentralisation ; on peut actuellement obtenir le même type d'architectures massivement parallèles en reliant des ordinateurs personnels bon marché produits en série.

Cette mauvaise nouvelle pour Thinking Machines est un message important pour nous tous, à la fois littéralement et métaphoriquement. Cela veut dire que l'entreprise du futur peut répondre à ses besoins en informatique d'une manière nouvelle et modulable en peuplant son organisation d'ordinateurs personnels qui, quand c'est nécessaire, peuvent collaborer pour venir à bout de problèmes comportant de nombreux calculs. Les ordinateurs vont travailler à la fois pour des individus et des groupes. Je vois cette même mentalité de décentralisation à l'œuvre dans notre société, sous l'impulsion de la jeunesse du monde numérique. La vision centralisatrice traditionnelle va devenir une chose du passé.

La notion d'État va subir une mutation radicale. Dans un demi-siècle, les gouvernements seront à la fois plus grands et plus petits. L'Europe se divise actuellement en entités ethniques plus petites tout en s'efforçant de s'unifier sur le plan économique. Les forces du nationalisme rendent trop faciles le cynisme et le rejet de toute tentative d'unification du monde. Mais, dans l'univers numérique, des solutions jusque-là impossibles deviennent viables.

Aujourd'hui, 20% du monde consomment 80 % de ses ressources, un quart d'entre nous a un niveau de vie acceptable pendant que les trois quarts n'en bénéficient pas ; comment ce fossé peut-il être comblé ? Pendant que les politiciens se débattent avec l'héritage de l'Histoire, une nouvelle génération, libérée des vieux préjugés, émerge du paysage numérique. Ces mômes ne sont plus obligés de tabler sur la proximité physique pour avoir une chance de se faire des amis, avec lesquels collaborer, jouer, se sentir proches. La technologie numérique peut être une force naturelle attirant les gens dans une plus grande harmonie mondiale.

L'effet d'harmonisation du numérique est déjà apparent dans le fait que des disciplines jusque-là très cloisonnées commencent à collaborer, au lieu de se faire concurrence. Un langage commun jusque-là inexistant émerge, permettant aux gens de se comprendre au-delà des frontières. Aujourd'hui, les enfants à l'école ont l'occasion de regarder la même chose de nombreux points de vue. Un programme informatique, par exemple, peut être vu à la fois comme un ensemble d'instructions ou comme une poésie concrète formée par les décrochements dans le texte du programme. Les enfants apprennent très vite que connaître un programme veut dire le connaître sous de nombreux angles, non un seul.

Mais, surtout, mon optimisme vient de la puissance qu'apporte le numérique. L'accessibilité, la mobilité et la capacité de provoquer des changements vont faire que le futur sera très différent du présent. L'autoroute de l'information est peut-être un slogan publicitaire aujourd'hui, mais qui est bien en deçà de la réalité de demain. Plus les enfants s'approprieront une ressource d'information globale et plus ils découvriront que seuls les adultes ont besoin de s'y initier, plus nous verrons un regain d'espoir et une dignité toute neuve dans des endroits où ils étaient pratiquement inexistants avant.

Mon optimisme n'est pas alimenté par l'anticipation d'une invention ou d'une découverte. Trouver un médicament pour le cancer et le sida, découvrir une manière acceptable de contrôler la natalité, ou inventer une machine capable de nettoyer notre air et nos océans de toute pollution sont des rêves peut-être inaccessibles. Le numérique est différent. Il n'attend pas d'inventions. Il est là. Maintenant. Il est presque d'une nature génétique, dans la mesure où chaque génération nouvelle sera plus numérique que la précédente.

Les bits de contrôle de cet avenir numérique sont plus que jamais entre les mains de la jeunesse. Rien ne pourrait me rendre plus heureux.

Remerciements

En 1976, j'ai rédigé une proposition pour la *National Endowment of the Humanities* où je décrivais un système multimédia à accès sélectif qui permettrait aux utilisateurs de converser avec de célèbres artistes disparus. Dr. Jerome B. Wiesner, alors président du MIT, a lu cette proposition loufoque parce que sa signature était nécessaire pour libérer les fonds. Plutôt que de taxer ce projet de pur délire, il a offert son aide, comprenant que j'étais très loin de mon registre, à savoir le traitement du langage naturel, entre autres choses.

Une grande amitié est née. J'ai commencé à travailler avec des vidéodisques optiques (très analogiques à l'époque). Wiesner m'a fortement incité à m'intéresser à une linguistique plus complexe et à faire davantage de place à l'art. En 1979, nous nous sommes convaincus, et le MIT par la même occasion, qu'il fallait construire le Media Lab.

Au cours des cinq années suivantes, nous avons parcouru des centaines de milliers de kilomètres chaque année, passant parfois plus de nuits par mois ensemble qu'avec nos familles respectives. Cette occasion qui m'était offerte d'apprendre de Wiesner et de voir le monde à travers ses yeux, et ceux de nombreux amis brillants et célèbres, a été une véritable éducation pour moi. Le Media Lab a une

285

envergure mondiale, parce que Wiesner avait lui-même cette envergure mondiale. Le Media Lab attachait une grande importance à l'art et à la science rigoureuse parce que c'était le cas de Wiesner.

Wiesner est mort un mois avant la fin de la rédaction de ce livre. Jusqu'au bout, il a tenu à parler des problèmes du numérique et de son optimisme prudent à son sujet. Il s'inquiétait des détournements possibles d'Internet à mesure que son utilisation se répandrait, ainsi que du chômage dans une ère numérique qui supprime plus d'emplois qu'elle n'en crée. Mais il est toujours resté optimiste même quand il a senti ses forces l'abandonner progressivement. À sa mort, le vendredi 21 octobre 1994, il a confié à nombre d'entre nous au MIT la responsabilité de faire pour la jeune génération ce qu'il avait fait pour nous. Jerry, nous allons nous efforcer d'être dignes de la mission que tu nous as confiée.

Le Media Lab a vu le jour avec trois autres personnes à qui je dois des remerciements particuliers pour tout ce qu'elles m'ont appris : Marvin Minsky, Seymour Papert et Muriel Cooper.

Marvin est l'homme le plus intelligent que je connaisse. Son humour est ravageur, et il est sans aucun doute possible le plus grand savant vivant de l'informatique. Il aime bien citer Samuel Goldwyn : « N'accordez pas la moindre attention aux critiques. Ne faites même pas semblant de ne pas les voir. »

Après avoir travaillé aux côtés du psychologue Jean Piaget à Genève, Seymour est devenu peu après le codirecteur du laboratoire d'intelligence artificielle du MIT avec Minsky. Il a ainsi apporté au Media Lab sa profonde compréhension non seulement des sciences de l'homme, mais aussi des sciences de l'artificiel. Comme dit Seymour :

« Il n'est pas possible de réfléchir sans réfléchir à sa propre réflexion. »

Muriel Cooper a apporté la troisième pièce du puzzle : les arts. Principale force conceptrice du Media Lab, elle a fait exploser certaines des hypothèses de travail les plus stables de l'informatique personnelle, comme les fenêtres, en posant des questions, en multipliant des expériences et en proposant des prototypes de solutions de rechange. Son décès tragique et brutal le 26 mai 1994 a laissé un trou béant dans l'être et l'âme du Media Lab.

Le Media Lab a été formé en partie à partir du Architecture Machine Group (1968-1982) où j'ai fait la plus grande part de mon apprentissage avec un noyau de collègues. Je dois d'énormes remerciements à Andy Lippman qui a cinq idées brevetables par jour et à qui revient sans aucun doute la paternité de nombre des expressions que l'on trouve dans ce livre. Il en sait plus que quiconque sur la télévision numérique.

D'autres idées sont venues de Richard Bolt, Walter Bender et Christopher Schmandt, qui datent toutes d'avant le Media Lab, de l'époque où nous avions six petits laboratoires, six bureaux et un placard. C'était le temps où on nous prenait pour des « charlatans », et ce fut donc notre âge d'or. Mais, pour être dorés sur tranche, il fallait encore qu'on nous découvre.

Martin Denicoff, du bureau de la recherche navale, est à l'informatique ce que les Médicis ont été à l'art de la Renaissance : il finançait les audacieux. Auteur dramatique lui-même, il nous a incités à inclure le cinéma interactif dans nos recherches bien avant que nous ne l'ayons fait de nous-mêmes.

Quand Craig Fields, l'homologue plus jeune de Denicoff à l'ARPA, a remarqué l'absence totale des Américains dans l'électronique grand public, il a pris des décisions hardies pour faire avancer l'idée d'un ordinateur-TV. Son influence a été telle qu'il en a perdu son job dans l'histoire parce que sa vision des choses allait complètement à l'encontre de la politique industrielle (ou de son absence) du gouvernement. Mais pendant ces années il a financé la plus grande partie des recherches qui ont été à l'origine du domaine que nous appelons multimédia aujourd'hui.

Au début des années 80, nous nous sommes tournés vers le secteur privé, notamment pour nous aider à construire ce que l'on a fini par baptiser le Wiesner Building — un complexe de 50 millions de dollars. L'extraordinaire générosité d'Armand et de Celeste Bartos a contribué à faire du Media Lab une réalité. En parallèle, il a fallu que nous nous fassions d'autres amis dans les entreprises.

Ces nouveaux amis étaient surtout des producteurs de contenu qui n'avaient encore jamais eu de rapports avec le MIT mais qui estimaient (au début des années 80) que la technologie allait jouer un rôle déterminant dans leur avenir. L'exception fut le Dr. Koji Kobayahi, alors président-directeur général de NEC. Grâce à son soutien et à sa confiance en la vision des ordinateurs et des communications, d'autres entreprises japonaises lui ont rapidement emboîté le pas.

En m'efforçant de rallier les soixante-quinze sponsors du secteur privé qui nous soutiennent actuellement, j'ai rencontré beaucoup de personnages — au meilleur sens du mot. Aujourd'hui, les étudiants du Media Lab ont l'occasion de fréquenter plus de PDG que tout autre groupe d'étudiants de ma connnaissance. Tous ces visiteurs nous apportent beaucoup, mais trois d'entre eux se détachent du lot : John Sculley, anciennement de chez Apple, John Evans, PDG de News Electronic Data, et Kazuhiko Nishi, PDG d'ASCII Corp.

En outre, je tiens à exprimer ma reconnaissance à Alan

Kay de chez Apple et à Robert Lucky de chez Bellcore. Comme nous sommes tous les trois membres du Vanguard Group de CSC, j'ai développé nombre des idées de ce livre grâce à leur perspicacité. Kay me dit toujours : « L'art de voir toujours plus loin vaut cinquante points de QI. » Lucky a été le premier à demander : « Un bit est-il vraiment un bit ? »

On ne construit pas des laboratoires seulement avec des idées. Je dois une immense gratitude à Robert Greene, directeur associé de l'administration et des finances, qui travaille avec moi depuis plus de douze ans. Je peux prendre des risques pour tenter de mettre au point de nouveaux modèles de recherche et voyager sans cesse grâce à sa dévotion et à la confiance totale que lui portent l'équipe du Media Lab et l'administration du MIT.

Sur le front de l'enseignement, Stephen Benton a su donner forme et caractère à un organisme universitaire qui disparaissait sous les mauvaises herbes. En juillet dernier, il a passé le relais à Whitman Richards.

Victoria Vasillopulos gère mon bureau et moi, à l'intérieur et à l'extérieur du MIT, chez moi et au travail. Ce livre suggère que le numérique crée une fusion entre la maison et le bureau, le travail et les loisirs, et c'est vrai. Victoria est là pour en témoigner. Comme les agents d'ordinateurs vraiment intelligents sont encore loin, il est important (et rare) d'avoir un excellent agent humain. Quand j'ai disparu de la circulation pour terminer la rédaction de ce livre, le travail de Victoria a consisté à s'assurer que personne ne le remarquerait. Grâce à l'aide de ses assistantes Susan Murphy-Bottari et Felice Napolitano, peu de gens s'en sont rendu compte.

Je tiens également à exprimer ma gratitude à tous ceux qui ont participé à la fabrication de ce livre. Avant toute chose, je remercie Kathy Robbins, mon agent à New York.

Voilà plus de dix ans que j'ai accepté de devenir l'un de ses « auteurs ». Au cours de la décennie suivante, j'ai été tellement absorbé par la construction du Media Lab que je n'ai jamais eu le temps de souffler suffisamment ne serait-ce que pour réfléchir à un livre. Kathy a eu une patience d'ange et m'a gentiment et régulièrement rappelé à l'ordre.

Avec le magazine *Wired,* Louis Rosseto et Jane Metcalfe ont su choisir le moment idéal pour lancer un magazine consacré au mode de vie du monde numérique. Mon fils Dimitri a joué un grand rôle pour m'inciter à m'y impliquer, ce dont je lui suis reconnaissant. Je n'avais encore jamais écrit de chronique. Certaines sont venues facilement, d'autres moins. Mais j'ai toujours eu du plaisir à les rédiger avant de les confier au regard attentif de John Battelle. Les lecteurs ont envoyé de nombreux messages utiles. Les critiques dithyrambiques ont toujours été plus nombreuses que les critiques tout court. Mais toutes m'ont beaucoup apporté.

Le jour où j'ai proposé à Kathy Robbins de faire un livre des dix-huit chroniques de *Wired,* elle a réagi comme une grenouille devant un insecte. Elle a avalé l'idée tout rond et a signé en moins de vingt-quatre heures. Elle m'a emmenée chez Knopf où elle m'a présenté au président, Sonny Mehta, et à mon éditeur, Marty Asher. Marty venait juste de découvrir America Online (oui, il a des enfants adolescents), et c'est devenu notre canal de communication. Marty est devenu très rapidement numérique.

Marty a relu chaque mot, revu et corrigé sans relâche mon style dyslexique jusqu'à ce que le résultat soit impeccable. Pendant de nombreux jours, Marty et moi avons ressemblé à des lycéens en plein bachotage.

Ensuite, Russ Neuman, Gail Banks, Alan Kay, Jerry Rubin,

REMERCIEMENTS

Seymour Papert, Fred Bamber, Michael Schrag et Mike Hawley ont tous lu le manuscrit.

Neuman a veillé à l'exactitude des politiques évoquées. Banks a lu le manuscrit comme un critique professionnel et un novice professionnel, cornant presque chaque page. Kay a découvert des erreurs d'attribution et a tiqué devant les incohérences, apportant la sagesse pour laquelle il est si célèbre. Papert s'est intéressé à la structure globale et a réorganisé le début. Schrag (seize ans) a trouvé dans le texte de nombreuses erreurs qui avaient échappé au correcteur, notamment une inversion typographique, 34 800 bauds au lieu de 38 400, que personne n'aurait vue ! Bamber a vérifié la réalité. Hawley a décidé de lire le livre en commençant par la fin, sa manière à lui de lire la musique (apparemment) pour s'assurer qu'il joue bien au moins la conclusion d'un morceau.

Enfin, je tiens à remercier mes extraordinaires parents qui m'ont donné deux choses en quantité à part l'amour et l'affection : l'éducation et les voyages. De mon temps, on ne pouvait que bouger ses atomes. À vingt et un ans, j'avais l'impression d'avoir vu le monde entier. Ce n'était pas tout à fait le cas, mais le croire m'a donné suffisamment d'assurance pour faire fi des critiques. Je leur en suis très reconnaissant.

Table des matières

Achevé d'imprimer en juin 1995
sur presse CAMERON
dans les ateliers de B.C.I.
à Saint-Amand-Montrond (Cher)
pour le compte des éditions Robert Laffont
24, avenue Marceau, 75008 Paris

No d'édition : 36320(02). No d'impression : 4/495.
Dépôt légal : avril 1995.

Imprimé en France